DIE WAHNSINNIG EINFACHE ANLEITUNG FÜR IPADOS 17

ERSTE SCHRITTE MIT DEM IPAD DER NEUESTEN GENERATION, DEM IPAD PRO UND DEM IPAD MINI

SCOTT LA COUNTE

ANAHEIM, KALIFORNIEN

www.RidiculouslySimpleBooks.com

Inhaltsübersicht

***Haftungsausschluss**: Bitte beachten Sie, dass dieses Buch trotz aller Bemühungen um Genauigkeit nicht von Apple, Inc. unterstützt wird und als inoffiziell betrachtet werden sollte.*

EINFÜHRUNG

Erste Schritte mit iPadOS 16

Stellen Sie sich eine Zeit vor, in der die Vorstellung von einem Gerät, das schlanker als ein Notizblock und dennoch leistungsfähiger als die alten Desktop-Computer ist, wie ein weit hergeholter Traum erschien. Mit dem iPad ist dieser Traum nun greifbare Realität geworden.

In dem schlanken Design des iPad steckt ein Chip, der genauso leistungsfähig ist wie der in größeren Laptops. Es ist kein gewöhnliches Tablet. Dieses iPad ist ein dynamisches Werkzeug, das Ihnen unvergleichliche Leistung zur Verfügung stellt und es Ihnen ermöglicht, Aufgaben zu erledigen, die früher auf einem so schlanken und leichten Gerät undenkbar schienen.

Egal, ob du neu in der Welt des iPads bist oder von einem älteren Modell umsteigst, dieser Leitfaden soll dir helfen. Er soll Sie durch die wichtigsten Funktionen von iPadOS 16 führen.

Auf den Seiten finden Sie unter anderem folgende Funktionen:

- Multitasking
- Widgets
- Kurzer Hinweis
- FaceTime

- Nachrichten
- Schwerpunkt
- Benachrichtigungen
- Safari
- Karten
- Fotos
- Und vieles mehr

Willst du das volle Potenzial deines neuen iPads ausschöpfen? Dann nichts wie los!

Dieser Leitfaden wird nicht von Apple, Inc. unterstützt und sollte als inoffiziell betrachtet werden.

[1] WILLKOMMEN

IPAD VS. IPAD

Bei Apple gibt es eigentlich vier iPads: das iPad Pro, das iPad Air, das iPad Mini und das iPad. Nur das iPad Pro und das iPad wurden 2022 aufgefrischt. Wie der Name schon sagt, ist das iPad Pro das hochwertigste Tablet und für Leute geeignet, die es nicht nur gelegentlich benutzen - Animateure, Geschäftsleute usw. Das normale iPad kann zwar auch ernsthafte Arbeit verrichten, ist aber eher für Gelegenheitsnutzer gedacht, die damit Filme ansehen, Facebook checken und vielleicht gelegentlich ein Spiel spielen.

Bevor wir uns näher mit der Verwendung des iPad befassen, werfen wir einen kurzen Blick darauf, was jedes iPad einzigartig macht.

iPad Pro vs. iPad Air

Der Pro ist also offensichtlich leistungsstark und der Air ist offensichtlich dünn - aber was unterscheidet sie sonst noch?

Das iPad Pro ist groß und breit, mit Abmessungen von 280,6 x 214,9 x 6,4 mm, eine wahre Leinwand, die mehr Platz für Kreativität und Produktivität bietet. Sein Gehäuse, eine sorgfältige Mischung aus Glas und Aluminium, beherbergt ein atemberaubendes 12,9-Zoll Liquid Retina XDR Mini-LED-LCD-Display, ein technisches Spektakel mit einer atemberaubenden Spitzenhelligkeit von 1600 cd/m², Dolby Vision und einer flüssigen Bildwiederholfrequenz von 120 Hz. Mit der geballten Power des Apple M2 Chipsatzes, der durch seine Schaltkreise fließt, verspricht das iPad Pro eine atemberaubende Leistung, denn die Octa-Core-CPU und die 10-Core-GPU bewältigen jede Aufgabe mit Bravour.

Kommen wir nun zum iPad Air. Mit seinen Maßen von 247,6 x 178,5 x 6,1 mm bietet es einen bescheideneren Vorschlag und einen schlanken und handlicheren Rahmen. Das 10,9-Zoll Liquid Retina IPS-LCD des iPad Air hat zwar nicht die gleiche Spitzenhelligkeit wie sein größeres Geschwisterchen, aber mit 500 nits leuchtet es trotzdem hell. Das Herzstück ist der Apple M1 Chip, der Vorläufer des M2, aber immer noch ein beeindruckender Prozessor, der robuste Leistung und Effizienz bietet.

Die beiden teilen nicht wenige Familienmerkmale: Beide verzichten auf den Speicherkartensteckplatz zugunsten einer robusten internen Speicherhierarchie, wobei das iPad Pro den Zenit von 2 TB in Verbindung mit 16 GB RAM für seine höchste Stufe erreicht. Beide verfügen über ein Hauptkamerasystem, das die Welt in großartigem 4K einfangen kann, wobei das iPad Pro diese Vision mit einem Dual-Kamera-Setup und einem TOF-3D-LiDAR-Scanner erweitert, um die Tiefe mit Finesse zu verstehen und abzubilden. Für die Momente der Selbstreflexion bieten beide iPads eine 12-MP-Selfie-Kamera, die Klarheit und Detailgenauigkeit bei jeder Telefonkonferenz und jedem Selfie gewährleistet.

Das iPad Pro ist mit einem Quartett von Lautsprechern ausgestattet, die ein beeindruckendes Klangerlebnis versprechen. Das iPad Air ist zwar nicht ganz so aufwändig, sorgt aber mit seinen Stereolautsprechern trotzdem für eine satte Klangwiedergabe. Die Klangsinfonie beider Geräte wird durch das Fehlen eines 3,5-mm-Klinkensteckers abgerundet - ein gemeinsames Merkmal, das für einen Vorstoß in Richtung kabellose Audiowiedergabe spricht.

Beide Geräte sind mit Wi-Fi 6 ausgestattet, wobei das iPad Pro seine Konnektivität mit Wi-Fi

6E und Bluetooth 5.3 gegenüber Bluetooth 5.0 des Air erweitert. Was das Laden und die Datenübertragung angeht, sind beide Geräte mit USB Typ-C ausgestattet, das Pro mit Thunderbolt 4 und das Air mit USB Typ-C 3.1 Gen2.

Sicherheit und Interaktion sind in ihrem Wesen verwoben. Das iPad Pro vertraut bei der sicheren Authentifizierung auf Face ID, während das iPad Air einen Fingerabdrucksensor verwendet - eine unterschiedliche Herangehensweise, die aber in puncto Sicherheit gleich ist.

In Sachen Farbe und Design bietet das iPad Air mit Farben wie Spacegrau, Sternenlicht, Pink, Lila und Blau eine lebhaftere Auswahl und spricht damit ein breiteres Spektrum an individuellen Geschmäckern an. Das iPad Pro hingegen bietet mit Silber und Spacegrau eine klassische Auswahl.

iPad Pro vs. iPad

Das iPad, ein Leuchtturm der Praktikabilität und Farbe, erschien mit einem kleineren, aber lebendigen 10,9-Zoll Liquid Retina IPS LCD-Display. Es war mit nur 477 Gramm leichter und mit 7 mm Profil etwas dicker, was es zum bevorzugten Begleiter für die tägliche Reise machte. Der Bildschirm war zwar nicht so brillant wie der des Pro, aber mit 500 nits immer noch hell genug, um Geschichten unter den Augen seiner treuen Nutzer zum Leben zu erwecken.

Das Herzstück des iPad Pro ist der Apple M2 Chipsatz, ein Octa-Core-Chipsatz, der von einem 10-Core-Grafikprozessor flankiert wird und selbst die schwierigsten Aufgaben zu einem Kinderspiel macht. Egal, ob es darum ging, aufwendige Kunstwerke zu zaubern oder die Unmengen von Datensätzen zu berechnen, es war mit einer Vielzahl von Speicher- und RAM-Optionen ausgestattet, die bis zu 2 TB und 16 GB RAM für diejenigen reichten, die sich nach der ungesehenen Leistung sehnten.

Auch das iPad, das vom A14 Bionic-Chip angetrieben wird, ist nicht zu verachten. Seine Hexa-Core-CPU und seine Vier-Kern-GPU waren beeindruckend. Sie wurden für die modernen Alchemisten der Kreativität und Produktivität entwickelt, wenn auch mit einem bodenständigeren Ansatz, der bis zu 256 GB Speicher und 4 GB RAM bietet.

Die Kameras des iPad Pro bestehen aus zwei 12-MP-Weitwinkel- und 10-MP-Ultraweitwinkelobjektiven, die von einem TOF-3D-LiDAR-Scanner für die Tiefenerfassung begleitet werden und die Welt in ihrer ganzen Pracht einfangen. Im Vergleich dazu hatte das iPad ein einziges 12-MP-Weitwinkelobjektiv, das immer noch scharf und scharfsinnig ist, wenn auch etwas weniger allwissend.

Die Vierfach-Lautsprecher des iPad Pro singen Sinfonien, während die Stereolautsprecher des iPad melodiöse Melodien summen. Mit Wi-Fi 6E und Thunderbolt 4 hat das Pro den Wind des Wandels aufgenommen - ein krasser Gegensatz zu Wi-Fi 6 und USB Typ-C 2.0 beim iPad.

Sicherheit stand an erster Stelle, wobei das iPad Pro mit Face ID in die Zukunft blickte, während das iPad mit einem Fingerabdrucksensor auf dem Boden blieb.

iPad Pro vs. iPad Mini

Wenn du es klein haben willst, ist das iPad Mini die einzige echte Option. Aber bedeutet klein nicht gleich leistungslos? Wohl kaum!

Das iPad Pro ist mit seinen Abmessungen von 280,6 x 214,9 x 6,4 mm ein wahrer Koloss und überragt damit das zierliche iPad Mini, das bescheidenere 195,4 x 134,8 x 6,3 mm misst. Das iPad Pro ist mit einem Gewicht von 682 Gramm für das Wi-Fi-Modell ein Schwergewicht im Vergleich zu den federleichten 293 Gramm des Wi-Fi iPad Mini.

Die Vorderseite des iPad Pro ist ein großartiges Liquid Retina XDR Mini-LED-LCD-Display mit einer hohen Bildwiederholfrequenz von 120 Hz, HDR10 und Dolby Vision-Unterstützung und einer Leuchtkraft, die in der Regel bei beeindruckenden 1000 nits liegt und in der Spitze bis zu 1600 nits erreichen kann. Das Liquid Retina IPS LCD des Mini erreicht vielleicht nicht diese hohen Werte, aber seine 500 nits sind nicht zu verachten und bieten eine klare und lebendige Darstellung auf seinem kleineren 8,3-Zoll-Bildschirm, der eine schärfere

Dichte von 327 ppi im Vergleich zu 265 ppi des Pro bietet.

Das Herzstück des iPad Pro ist der Apple M2 Chipsatz mit einer Octa-Core-CPU und einer Apple GPU mit 10-Core-Grafikprozessor, der zweifellos leistungsstärker ist als der A15 Bionic des iPad Mini mit einer Hexa-Core-CPU und einer 5-Core-GPU. Beide bieten eine reibungslose Leistung, aber das Pro ist auf schwere Aufgaben in professionellen Workflows ausgerichtet.

Für Fotografie-Enthusiasten bietet die Pro ein Dual-Kamera-Setup mit einem 12-MP-Weitwinkel- und einem 10-MP-Ultraweitwinkel-Objektiv, das durch einen TOF-3D-LiDAR-Scanner für die Tiefenerkennung ergänzt wird und im Vergleich zur 12-MP-Weitwinkel-Kamera der Mini mehr Vielseitigkeit bietet. Beide können 4K-Videos aufnehmen, aber die Pro erweitert ihre Fähigkeiten mit Funktionen wie ProRes und Cinematic-Modus.

Die Konnektivität des Pro wird durch Wi-Fi 6E und Bluetooth 5.3 verbessert und liegt damit leicht vor Wi-Fi 6 und Bluetooth 5.0 des Mini. Für diejenigen, die die höchste kabelgebundene Übertragungsgeschwindigkeit und Unterstützung für externe Displays benötigen, ist der USB-Typ-C-Anschluss des Pro mit Thunderbolt 4 ein Geschenk des Himmels, während der USB-Typ-C 3.1-Anschluss des Mini immer noch robuste Konnektivität bietet.

Auch bei der biometrischen Sicherheit gibt es Unterschiede: Das Pro setzt auf Face ID, was eine nahtlose Entsperrung ermöglicht, während das Mini mit einem in die Einschalttaste integrierten Fingerabdrucksensor taktil bleibt.

iPad gegen Android und Windows

Als Nächstes wollen wir uns kurz ansehen, wie das iPad im Vergleich zu anderen Tablets auf dem Markt dasteht: vor allem Android- und Windows-Tablets. Früher waren Tablets beiläufige Begleiter für unterwegs, heute sind sie Arbeitstiere, die in manchen Fällen den Computer ganz ersetzen können.

iPad Pro 12.9 vs. Surface Pro 9

In einer Ecke steht das iPad Pro 12,9 Zoll: Apples Vision der Zukunft in einem schlanken Aluminiumgehäuse, das Eleganz und Leistung ausstrahlt. Seine Abmessungen sind präzise, sein Gewicht gerade so hoch, dass es sich substanziell anfühlt, ohne den Nutzer zu belasten. Ein Design, das nicht nur ästhetisch überzeugen will, sondern auch ein erstklassiges haptisches Erlebnis verspricht.

In der gegenüberliegenden Ecke steht das Surface Pro 9: Microsofts Antwort auf das moderne Computerproblem, mit einer Designphilosophie, die an die seines Rivalen erinnert, aber mit einem Gewicht, das seine Robustheit verrät. Ein Versprechen der Haltbarkeit für den digitalen Nomaden und den Profi gleichermaßen, seine Präsenz ist etwas durchsetzungsfähiger, ein Beweis für seine vielseitige Natur.

Das iPad Pro verfügt über ein geradezu revolutionäres Display - eine 12,9-Zoll-Leinwand, die die Sicht des Nutzers in die sattesten Farben und das hellste Licht taucht und mit modernster Mini-LED-Technologie ausgestattet ist.

Das Surface Pro 9 punktet mit einem Display, das nicht nur lebendig ist, sondern auch sein Farbprofil für ein optimales Seherlebnis intelligent anpasst. Obwohl es sich nicht mit der Mini-LED-Technologie rühmen kann, hält es sich mit der Robustheit von Gorilla Glass und einer Größe, die dem iPad den Rang abläuft, wenn auch nur knapp.

Im Gehäuse des iPad Pro steckt das Herz eines Drachens - der M2 Chipsatz, Apples eigenes Silizium, das jeder Aufgabe Feuer einhaucht, unterstützt von einem Arbeitsspeicher, der dafür sorgt, dass keine Herausforderung zu groß ist, und das alles nahtlos in das iPadOS integriert.

Das Surface Pro 9 lässt sich nicht lumpen und bietet eine Auswahl an Rechenleistung - sei es mit den leistungsstarken Intel-Prozessoren der 12. Generation oder mit dem eigens entwickelten Microsoft SQ 3 für diejenigen, die mit der 5G-Konnektivität einen weniger ausgetretenen Pfad beschreiten möchten. Das Windows 11-Betriebssystem, eine ebenso vertraute wie leistungsstarke Oberfläche, bringt das volle Desktop-Erlebnis in eine schlanke Tablet-Form.

Das iPad Pro spricht mit seinen USB-C- und Thunderbolt 4-Fähigkeiten die Sprache der Zukunft. Es ist ein Portal für unvergleichliche Datenübertragungsgeschwindigkeiten und eine Brücke zu einer Welt voller Peripheriegeräte.

Das Surface Pro 9 verfügt über eine Vielzahl von Anschlüssen, die sicherstellen, dass kein Gerät zurückbleibt, und bietet Flexibilität und Funktionalität in Hülle und Fülle.

Samsung Tab S9

Stell dir vor, du hältst das iPad Pro in der Hand, und sein massiver Rahmen spricht für die Power, die in ihm steckt. Mit 12,9 Zoll ist sein Liquid Retina XDR Mini-LED-Display nicht nur groß, sondern auch leuchtend. Es hat eine Spitzenhelligkeit, die mit der Mittagssonne mithalten kann, und bietet Dolby Vision für ein kinoreifes Farberlebnis. Es ist ein Gerät, das sich nicht scheut, sein Aluminium-Gehäuse zur Schau zu stellen, obwohl es über seine Widerstandsfähigkeit gegen die Elemente schweigt.

Stellen Sie sich jetzt das Samsung Galaxy Tab S9 vor, einen noch schlankeren Konkurrenten. Seine leichtere Bauweise macht es zu einem Traum in der Handhabung und mit der IP68-Zertifizierung ist es ein Kämpfer gegen Staub und Wasser - eine Eigenschaft, die das iPad Pro nicht besitzt. Das Dynamic AMOLED-Display des Tab S9 mag mit 11 Zoll zwar kleiner sein, aber es glänzt mit leuchtenden Farben und tiefsten Schwarztönen, dank seiner HDR10+-Fähigkeiten.

Das iPad Pro ist mit seinem Apple M2 Chipsatz ein Kraftpaket, ein Wunderwerk der Technik, das nahtlose Leistung bietet, egal ob Sie ein digitales Meisterwerk malen oder Ihr neuestes 4K-Video bearbeiten. Das Galaxy Tab S9 hingegen behauptet sich mit dem Qualcomm Snapdragon 8 Gen 2, einem Android-Champion, der für reibungslose Abläufe auch an den hektischsten Arbeitstagen sorgt.

Der Kampf um den Speicherplatz ist hier interessant. Die Kapazität des iPad Pro steigt auf bis zu 2 TB und es unterstützt bis zu 16 GB RAM in seinen höheren Stufen - obwohl es die Idee der externen Speichererweiterung meidet. Das Galaxy Tab S9 bietet zwar ein bescheideneres Maximum von 256 GB Speicher und 12 GB RAM, setzt aber auf die Flexibilität eines microSD-Kartensteckplatzes und ist damit für diejenigen interessant, die erweiterbaren Speicher schätzen.

Fotografie-Enthusiasten könnten sich für das iPad Pro entscheiden, das mit seiner Dual-Kamera und dem futuristischen Touch eines LiDAR-Scanners sowohl die Fototiefe als auch Augmented-Reality-Erlebnisse verbessert. Das Galaxy Tab S9 ist mit einer einzigen rückwärtigen Kamera einfach gehalten, macht aber keine Kompromisse bei der Qualität seiner Aufnahmen oder den Fähigkeiten der Frontkamera.

Audiophile aufgepasst: Beide Tablets sind mit Vierfach-Lautsprechern ausgestattet, aber die des Galaxy Tab S9 werden von der renommierten Firma AKG gestimmt. Die Anschlüsse sind bei beiden modern, aber nur das iPad Pro verfügt über Thunderbolt 4, ein Segen für Liebhaber von Hochgeschwindigkeitsdaten.

Google Pixel Tablet

Das iPad Pro 12,9" fällt bei seinem großen Auftritt sofort ins Auge. Sein großes 12,9-Zoll Liquid Retina XDR Mini-LED-Display mit einer Bildwiederholfrequenz von 120 Hz und einer beeindruckenden Spitzenhelligkeit von 1600 cd/m² sorgt für ein beeindruckendes Bild. HDR10- und Dolby Vision-Unterstützung sorgen dafür, dass jedes Bild spektakulär ist und den Benutzer mit einer Fülle von hochauflösenden Farben und Kontrasten fesselt.

Mit seinem eleganten Aluminiumgehäuse ist das iPad Pro sowohl optisch als auch haptisch ein Genuss. Es ist sehr leistungsfähig und wiegt dennoch nur 682 Gramm. Mit Unterstützung für eine breite Palette von Netzwerken, einschließlich 5G, und einer Reihe von Anschlussmöglichkeiten, allen voran ein USB Typ-C-Anschluss mit Thunderbolt 4, bietet es sowohl Vielseitigkeit als auch Leistung.

Das Herzstück dieses Geräts ist der Apple M2 Chipsatz, ein Wunderwerk der Technik, das zusammen mit bis zu 16 GB RAM Multitasking so mühelos wie ein Kinderspiel erscheinen lässt. Die Kameras, ein 12-MP-Weitwinkel- und ein 10-MP-Ultraweitwinkel-Duo, werden durch einen TOF-3D-LiDAR-Scanner ergänzt, der eine neue Dimension bei AR-Anwendungen eröffnet.

Dann richten wir unseren Blick auf das Google Pixel Tablet, ein Gerät, das sich dem Tablet-Konzept mit der Einfachheit und Zugänglichkeit nähert, die für die Hardware-Philosophie von Google charakteristisch ist. Sein 10,95-Zoll-IPS-LCD-Bildschirm ist zwar nicht so strahlend wie der seines Apple-Pendants, bietet aber eine respektable Auflösung von 1600 x 2560 und sorgt dafür, dass Ihre digitale Welt klar und deutlich dargestellt wird.

Das Pixel Tablet im modernen Aluminiumgehäuse ist mit 493 Gramm deutlich leichter, ein Hinweis für alle, die Wert auf Portabilität legen. Es verzichtet auf eine Mobilfunkverbindung und positioniert sich als Wi-Fi-fähiges Gerät - ein Begleiter für zu Hause und nicht für die Hektik der Außenwelt.

Googles eigener Tensor G2-Chipsatz treibt das Pixel-Tablet an und verspricht ein reaktionsschnelles Android-Erlebnis, das auf Android 14 aufgerüstet werden kann und somit auf dem neuesten Stand bleibt. Die 8-Megapixel-Kamera auf der Vorder- und Rückseite ist zwar bescheiden, passt aber zum Ethos der Einfachheit und Nützlichkeit des Tablets.

Das Apple KeyBoard und Apple Pencil

Vielleicht haben Sie das iPad gekauft, aber Sie haben sich noch nicht für die Tastatur und Pencil entschieden. Lassen Sie uns also kurz über diese beiden Dinge sprechen.

Die Tastatur ist, nun ja, eine Tastatur! Aber wenn Sie das alte Apple KeyBoard-Gehäuse hatten, dann werden Sie wahrscheinlich froh sein, dass der alte Origami-Stil verschwunden ist; vielleicht liegt es nur an mir, aber ich hatte immer Schwierigkeiten, herauszufinden, wie man es faltet! Dieses hier ist viel einfacher.

Einfacher bedeutet, dass eine Position wegfällt; bei der vorherigen Version konnte es als Ständer ohne die Tastatur verwendet werden. Das ist jetzt nicht mehr der Fall. Er steht natürlich auch mit geöffneter Tastatur aufrecht.

Es hat auch zwei Positionen, so dass Sie zwei Blickwinkel haben können; dies ist hilfreich, wenn Sie auf dem Schoß tippen, aber nicht so funktionell wie das Tastaturgehäuse mit mehr grenzenlosen Möglichkeiten mit der Position.

Es ist nicht furchtbar schwer, aber es hat ein gewisses Gewicht; ich empfehle, es vor dem Kauf in einem Geschäft zu testen.

Als Nächstes: der Apple Pencil. Er wurde komplett neu gestaltet und wird nicht mehr mit "Spitzen" geliefert. Die muss man extra kaufen. Sie sind aber ziemlich billig.

Der größte Vorteil des neuen Apple Pencil ist, dass man ihn nicht einstecken muss. Die vorherige Generation musste an der Unterseite des iPads im Ladeanschluss aufgeladen werden, was wirklich im Weg sein konnte. Bei dieser Generation ist alles magnetisch.

Das iPad 2022 ist nur mit dem Pencil der ersten Generation kompatibel (der sich nicht magnetisch aufladen lässt); das iPad Pro ist mit dem Pencil der ersten und zweiten Generation kompatibel.

Reden wir über Ihr Gesicht

Lassen Sie uns kurz über Ihr Gesicht sprechen. Keine Sorge - Sie sehen großartig aus! Ich spreche von Face ID. Sie sind vielleicht daran gewöhnt, das auf Ihrem Telefon zu verwenden - es ist eine tolle Funktion. Vielleicht haben Sie sogar schon von der Funktion auf einigen iPads gehört. Wo ist sie also? Wenn du nicht gerade ein neues iPad hast, wirst du sie nicht finden. Der Fingerabdrucksensor ist alles, was Sie bekommen. Wenn Sie sich also auf dem iPad umsehen und versuchen, ihn zu finden, kann ich Ihnen die Mühe ersparen: Face ID ist nicht da.

Was ist neu in iPadOS 17?

Das Beste an iPadOS? Es ist immer ein kostenloses Update.

Mit diesem Update kannst du deine täglichen Interaktionen mit deinem geliebten Gerät verbessern - egal, ob du Nachrichten verschickst, im Internet surfst oder dich in die kreative Zusammenarbeit stürzt. Erfahren Sie, was neu ist und wie diese Updates Ihr iPad-Erlebnis noch angenehmer machen können.

Fangen wir mit dem Sperrbildschirm an, denn das ist das erste, was du nach einer Aktualisierung siehst. iPadOS 17 lädt dich ein, diesen Bereich in deine eigene digitale Leinwand zu verwandeln. Mit neuen Optionen wie dem Astronomie-Hintergrundbild, das den Kosmos auf deine Fingerspitzen bringt, oder dem Kaleidoskop, das tanzt, wenn du dein Gerät drehst, wird sich dein iPad noch persönlicher anfühlen. Und das ist nur das Hintergrundbild. Stell dir vor, Live Photos als Hintergrundbild erwacht bei jeder Berührung des Bildschirms zum Leben - eine kleine Berührung, die viel Magie verleiht.

Um Echtzeit-Ereignisse wie Lebensmittellieferungen oder Spielstände zu verfolgen, musste man früher sein Gerät entsperren und sich durch Apps wühlen. Das ist jetzt vorbei. Live-Aktivitäten ist eine neue Funktion, mit der Sie diese Ereignisse direkt auf Ihrem Sperrbildschirm überwachen können. Es ist, als hätten Sie einen persönlichen Assistenten, der immer ein Auge auf Sie hat.

Widgets sind nicht neu, aber sie auf dem Sperrbildschirm zu platzieren schon. Mit iPadOS 17 kannst du Informationen wie Kalenderereignisse,

Wetterdaten oder den Batteriestatus mit einem einzigen Wisch abrufen. Und interaktive Widgets? Die sind eine echte Neuerung. Jetzt kannst du mit einem einzigen Fingertipp Musik abspielen, das Licht dimmen oder andere Aktionen direkt über ein Widget ausführen.

Nachrichten erhalten in iPadOS 17 eine deutliche Überarbeitung. Die neuen iMessage Apps sind dank eines praktischen Plus-Buttons leichter zugänglich, sodass das Teilen von Fotos oder deines Standorts ein Kinderspiel ist. Ein Tipp auf den Pfeil zum Aufholen von Unterhaltungen ist einfacher und das Streichen zum Antworten fühlt sich unglaublich intuitiv an.

iPadOS 17 vergisst auch die lustige Seite der Kommunikation nicht - Sticker. Du kannst eigene Sticker aus deinen Fotos erstellen und sie mit Effekten versehen, um sie zu stylen. Und diese Sticker sind nicht nur auf Nachrichten beschränkt. Mit Zugriff über die Emoji-Tastatur kannst du sie in jedes Textfeld einstreuen oder zu deinen Dokumenten und Bildern hinzufügen.

FaceTime führt die Option ein, Video- oder Audionachrichten zu hinterlassen, wenn Ihr Anruf nicht angenommen wird. Drücken Sie sich mit Handgesten aus, die Augmented-Reality-Effekte auf dem Bildschirm auslösen, oder starten Sie sogar einen FaceTime-Anruf von Ihrem Apple TV.

Die Health-App kommt auf dem iPad mit einem maßgeschneiderten Design, das das große Display nutzt. Es geht nicht nur darum, die körperliche

Gesundheit zu überwachen. Die neuen Funktionen bieten wertvolle Einblicke in die geistige Gesundheit, indem sie Bewertungen und Werkzeuge anbieten, die Ihnen helfen, über Ihren Geisteszustand nachzudenken.

Das Ausfüllen von PDFs wird durch AutoFill mit deinen gespeicherten Kontaktinformationen verbessert und die Anzeige von PDFs in Notes ist für später in diesem Jahr geplant. iPadOS 17 verbessert die Zusammenarbeit, indem du und deine Kollegen Live-Updates sehen können, während ihr gemeinsam Dokumente kommentiert.

Mit den Profilen in Safari können Sie Ihre Browsing-Erfahrungen wie Arbeit und Privat getrennt halten. Verbessertes privates Surfen hält deine Sitzungen unter Verschluss und ist noch sicherer als bisher. Und wenn du es verabscheust, diese lästigen einmaligen Bestätigungscodes einzutippen, füllt iPadOS 17 sie jetzt in Mail automatisch für dich aus.

Die Autokorrektur in iPadOS 17 ist intelligenter. Sie zeigt dir an, was geändert wurde und gibt dir die Möglichkeit, dies mit einem einfachen Tippen rückgängig zu machen. Die Tippvorhersage ist ebenfalls verbessert worden und bietet während der Eingabe Vorschläge, damit du Nachrichten schneller verfassen kannst.

Für Künstler und Brainstorming-Fans gibt es in Freeform neue Zeichenwerkzeuge und Funktionen zur Formerkennung, die Ihre Ideen auf der Leinwand hervorheben. Mit "Follow Along" können Sie in Echtzeit zusammenarbeiten und die Bearbeitungen Ihrer Mitstreiter sehen, während sie passieren.

Der Stage Manager von iPadOS 17 bringt Flexibilität in deinen Arbeitsbereich und bietet mehr Kontrolle über die Größe und Anordnung von Fenstern. Verwenden Sie eine externe Kamera für FaceTime und genießen Sie organisiertes und produktives Multitasking.

Spotlight-Suchergebnisse erwachen mit vertrauten App-Farben und -Symbolen zum Leben, während Siri jetzt auch aufeinanderfolgende Anfragen akzeptiert und so die Interaktion mit dem Gerät vereinfacht.

AirPlay ist intelligenter geworden, mit Gerätevorschlägen, die auf Ihren Gewohnheiten basieren, und bald können Sie AirPlay in unterstützenden Hotelzimmern nutzen. Die AirPods führen Adaptive Audio ein, passen die Modi an Ihre Umgebung an und erleichtern den Wechsel zwischen Geräten.

Die Kommunikationssicherheit wurde erweitert, und Sie können jetzt sensible Fotos unkenntlich machen und unbekannte Kontakte automatisch herausfiltern. Security Checkup ist ein neues Tool, mit dem Sie überprüfen und zurücksetzen können, wer Zugriff auf Ihre Informationen hat.

Upgrade-Anforderungen

Das klingt doch alles großartig, oder?! Aber wer kann aufrüsten? Wenn dein iPad nur ein paar Jahre alt ist, solltest du kein Problem haben. Hier sind alle Geräte, die für ein Upgrade auf iPadOS 17 in Frage kommen:

- iPad Pro 12,9-Zoll (2. Generation und neuer)
- iPad Pro 10,5-Zoll
- iPad Pro 11-Zoll (1. Generation und später)
- iPad Air (3. Generation und neuer)
- iPad (6. Generation und neuer)
- iPad mini (5. Generation und neuer)

Danke für die nette Geste, Apple!

Und jetzt kommt der Moment, auf den du gewartet hast: wie du dich auf einem iPad mini ohne Home-Taste zurechtfindest.

Vergiss nicht, dass diese Gesten ziemlich universell sind - sie funktionieren auf dem iPad mini und auf iPhones, die keine Home-Taste haben.

Gehen wir nach Hause

Zuerst die einfachste Geste: den Startbildschirm aufrufen. Haben Sie Stift und Papier zur Hand? Es ist kompliziert... wischen Sie vom unteren Bildschirmrand nach oben.

Das war's.

Das ist gar nicht so weit vom Drücken einer Taste entfernt. Ihr Finger befindet sich sogar an der gleichen Stelle! Der einzige Unterschied ist, dass Sie Ihren Daumen nach oben statt nach innen bewegen.

MULTITASKING

Wie Dorothy sagen würde: Es geht nichts über das Zuhause - aber wir können doch trotzdem Multitasking loben, oder? Falls du nicht weißt, was das ist: Mit Multitasking kannst du schnell zwischen Apps wechseln - du bist in iMessage und willst Safari öffnen Anstatt iMessage zu schließen, Safari auf dem Startbildschirm zu suchen und dann den Vorgang zu wiederholen, um wieder zurückzukehren, kannst du mit Multitasking den Vorgang schnell erledigen.

Bei den alten iPads drückst du zweimal auf die Home-Taste. Auf dem neuen iPad mini wischen Sie von unten nach oben, als ob Sie zur Home-Taste gehen würden... aber heben Sie Ihren Finger nicht an; stattdessen wischen Sie weiter nach oben, bis Sie die Mitte des Bildschirms erreichen - an diesem Punkt sollten Sie die Multitasking-Oberfläche sehen.

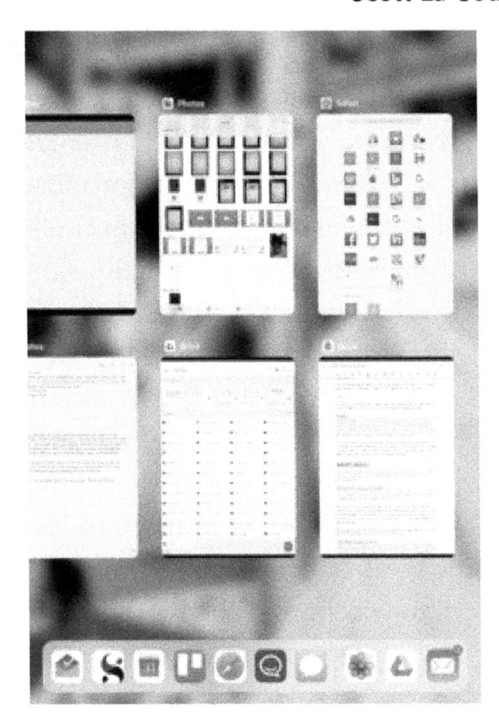

Wenn Sie eine App geöffnet haben (Hinweis: Dies funktioniert nicht auf dem Startbildschirm), können Sie auch mit dem Finger nach rechts über den unteren Rand des Bildschirms streichen, um zur zuletzt geöffneten App zu gelangen.

Mission Control... Wir sind auf dem Weg zum Flashlight

Falls Sie es noch nicht bemerkt haben, ich habe diese Funktionen in der Reihenfolge ihrer Verwendung angeordnet. Die am dritthäufigsten genutzte Geste ist also das Kontrollzentrum. Dort befinden sich alle Ihre Steuerelemente - stellen Sie sich vor... Steuerung ist dort, wo die Steuerelemente sind!

Wir werden das Control Center im weiteren Verlauf des Buches näher eingehen. Für den Moment reicht es, wenn du weißt, dass du hier Dinge wie die Helligkeit einstellen, den Flugmodus aktivieren und die beliebte Taschenlampe einschalten kannst. Auf dem alten iPad gelangst du zum Kontrollzentrum, indem du vom unteren Rand des Bildschirms nach oben wischst. Auf dem neuen iPad mino ist das nicht möglich. Wenn du dich erinnerst, gelangst du durch Streichen nach oben zur Startseite.

Die neue Geste für das Kontrollzentrum besteht darin, von der oberen rechten Ecke des iPad mini nach unten zu wischen (nicht von der oberen Mitte aus, was etwas anderes bewirkt).

Benachrichtigen Wie man Benachrichtigungen erhält

Mist! So viele Gesten, die man sich merken muss! Ich helfe dir mal auf die Sprünge. Um Benachrichtigungen zu sehen (das sind die Benachrichtigungen wie E-Mail und SMS, die Sie auf Ihrem Tablet und Telefon erhalten), wischen Sie von der Mitte des Bildschirms nach unten. Das ist die gleiche Art und Weise, wie Sie es vorher gemacht haben! Endlich nichts Neues mehr zu merken!

Ich will Ihnen nicht den Knochen klauen, aber wenn Sie sich nichts Neues merken können: Es gibt etwas, an das man sich erinnern kann :-(

Wenn Sie von der rechten Ecke nach unten wischen, erhalten Sie das Control CenterDas war bei den alten iPads nicht der Fall. Wenn man irgendwo oben nach unten wischte, kam man zum Home-Bildschirm. Auf dem neuen iPad mini kann man nur in der Mitte wischen.

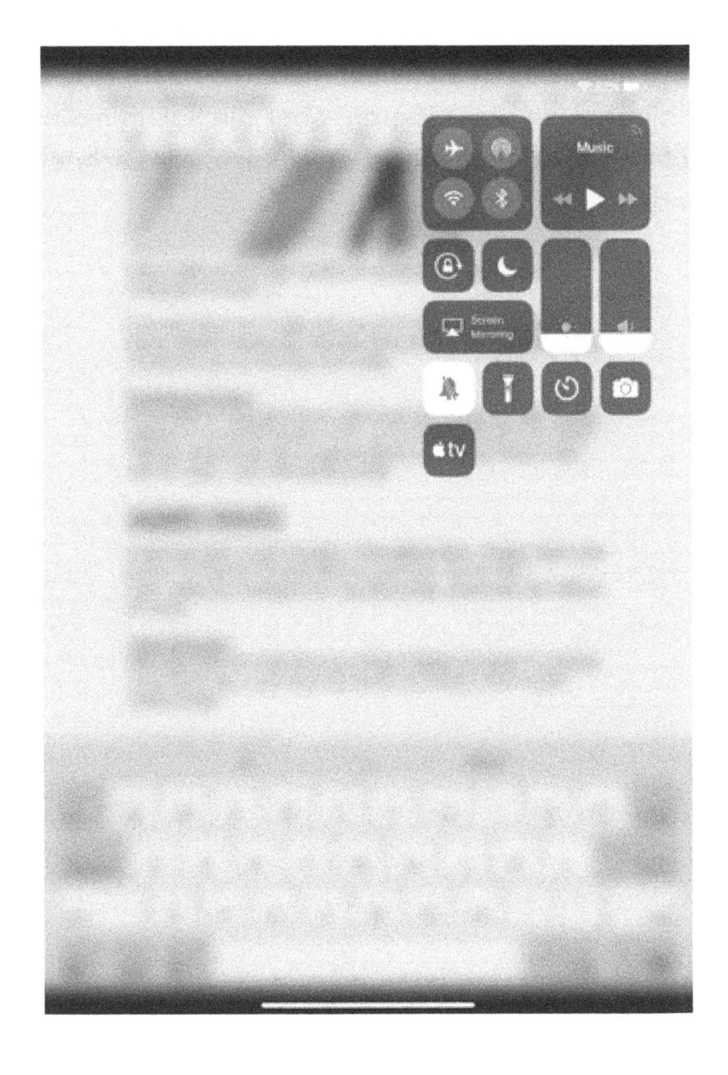

Auf der Suche nach Antworten

Wenn du so bist wie ich, hast du wahrscheinlich eine Million Apps - und weil du das Hintergrundbild auf dem Homescreen deines iPad mini sehen willst, hast du diese Million Apps in einem Ordner abgelegt! Das ist vielleicht nicht die beste Art, eine Bibliothek zu organisieren, aber die Suchfunktion auf dem iPad mini macht es einfach, alles schnell zu finden.

Neben Anwendungen können Sie mit der Suche auch Kalenderdaten, Kontakte und Dinge im Internet finden - Sie können sogar nach Text suchen, der auf einem Foto erscheint.

Das Beste an der Suche? Sie funktioniert genauso wie auf älteren iPads... da haben Sie Ihren Knochen wieder! Wischen Sie auf dem Startbildschirm in der Mitte des Bildschirms nach unten.

Aufruf an alle Widgets

Widgets sind also eine der neuesten Errungenschaften auf dem iPad. Erstaunlich! Was sind Widgets?! Man kann sie sich wie eine Mini-Software vorstellen. Sie laufen auf deinem Home-Bildschirm, sodass du Informationen sehen kannst, ohne die App öffnen zu müssen. Wenn du zum Beispiel Aktien hast, zeigt sie den Wert der von dir ausgewählten Aktien in Echtzeit an, sodass du nichts öffnen musst. Das Ziel ist es, Ihnen ein paar Sekunden am Tag zu ersparen - oder, wie im Fall des Foto-Widgets, das Erinnerungen an Orte, an denen Sie gewesen sind, oder an Menschen, die Sie getroffen haben, anzeigt, Ihren Tag zu verschönern.

Wenn Sie ein iPhone haben, wissen Sie vielleicht schon, wie Widgets funktionieren, denn das Konzept ist dasselbe. Tippen Sie zunächst mit dem Finger auf den Startbildschirm und halten Sie ihn gedrückt. Dadurch wackeln die Symbole und in der linken Ecke erscheint eine +-Schaltfläche. Tippen Sie als Nächstes auf die +-Schaltfläche.

Hier werden die verfügbaren Widgets angezeigt. Da immer mehr Entwickler Widgets für ihre Apps entwickeln, wird dieser Bereich wachsen.

Denken Sie daran, dass Sie nur Widgets für Apps sehen, die Sie auf Ihr Gerät heruntergeladen haben; wenn Sie also zum Beispiel die Wetter-App nicht haben, sehen Sie das Wetter-Widget nicht.

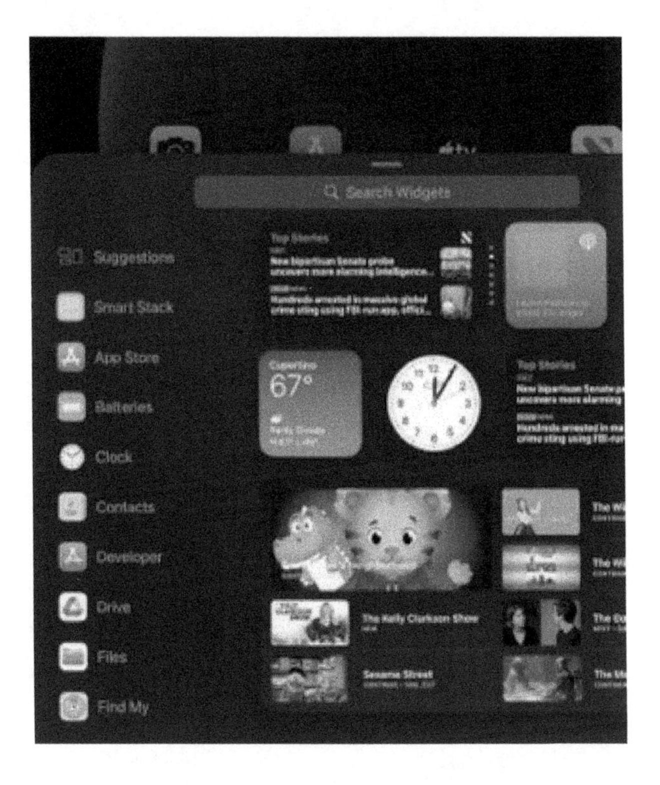

Das Wetter ist ein beliebtes Widget, also fangen wir damit an, es hinzuzufügen. Gehen Sie im linken Menü auf den Namen Wetter.

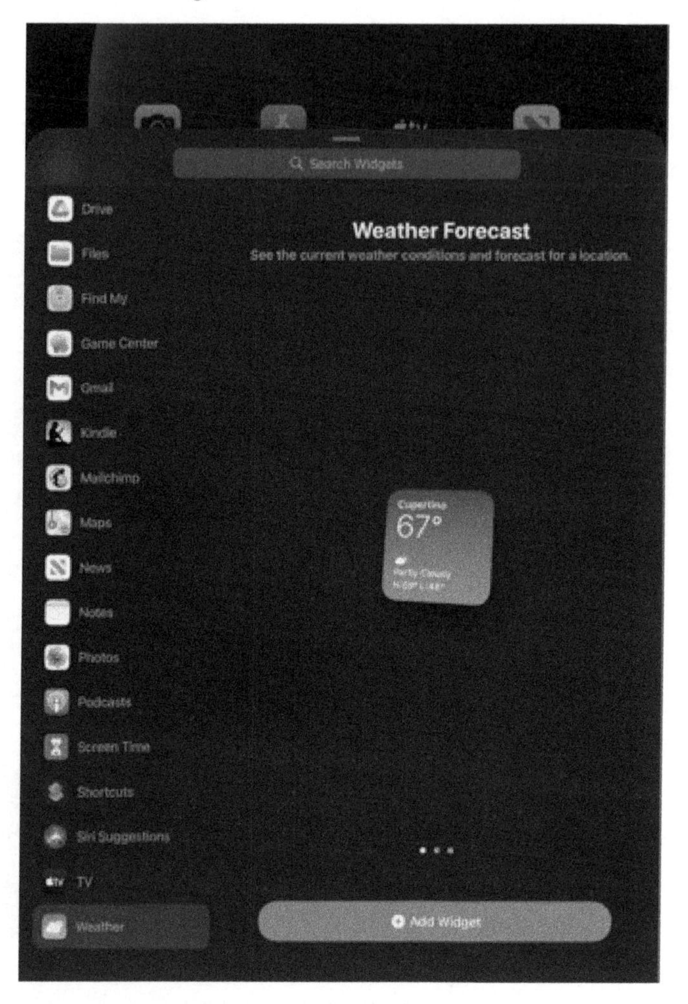

Unter der Vorschau sehen Sie drei Punkte; das bedeutet, dass Sie nach rechts wischen können, um mehr zu sehen. Sie werden feststellen, dass die Vorschau größer wird, weil das Widget größer wird. Je größer die Vorschau, desto mehr Platz nimmt es auf Ihrem Startbildschirm ein. Wenn Sie ein Widget sehen, das Ihnen gefällt, tippen Sie auf "Widget hinzufügen".

Bei einigen Widgets können Sie Dinge bearbeiten. Wenn du auf das Widget tippst und es gedrückt hältst, siehst du, ob du noch mehr tun kannst. Im Fall des Wetter-Widgets können Sie den Ort ändern. Tippen Sie einfach auf Cupertino (oder den Ort, der derzeit auf Ihrem Gerät angezeigt wird).

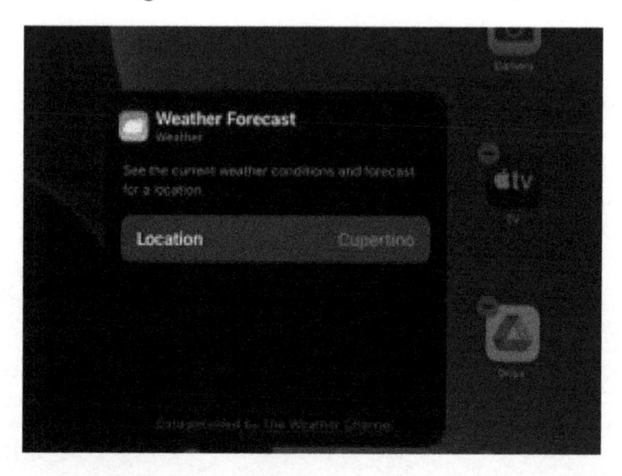

Tippen Sie als Nächstes entweder auf "Mein Standort", um den Ort anzuzeigen, an dem sich Ihr Gerät gerade befindet (wenn Sie an einen anderen Ort reisen, ändert sich dieser automatisch), oder wählen Sie "Suchen" und suchen Sie manuell die Stadt, die Sie anzeigen möchten.

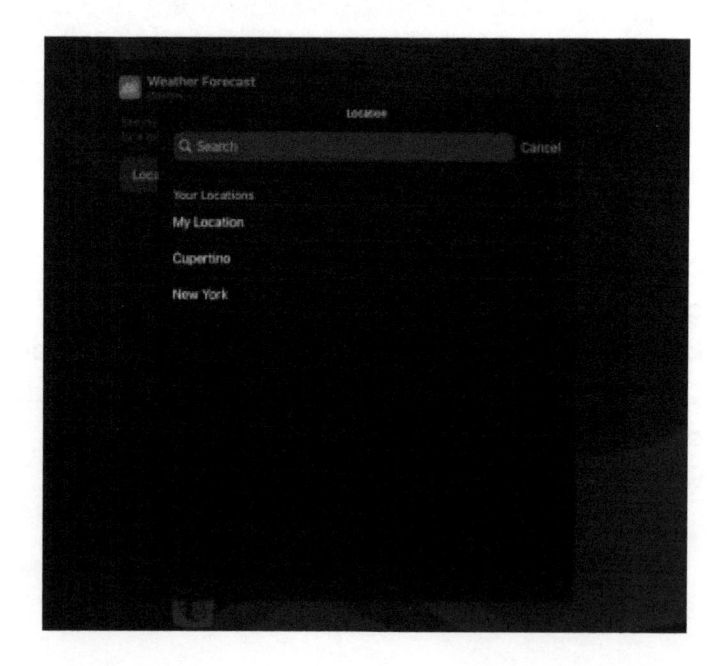

Sobald Sie Fertig wählen, wird Ihr Widget auf dem Startbildschirm angezeigt.

INTELLIGENTE STAPEL

Sie können auch einen so genannten Smart Stack als Widget hinzufügen. Dabei handelt es sich um ein Widget, das sich je nachdem ändert, was Sie im Laufe des Tages voraussichtlich nutzen werden.

Wenn das Widget die gleiche Größe hat, können Sie es in ein anderes Widget-Feld ziehen, um Ihren eigenen intelligenten Stapel zu erstellen.

Nach dem Hinzufügen können Sie innerhalb dieses Widgets nach oben und unten wischen, um zwischen den Anwendungen zu wechseln.

Wenn Sie lange darauf drücken, können Sie den Stapel bearbeiten.

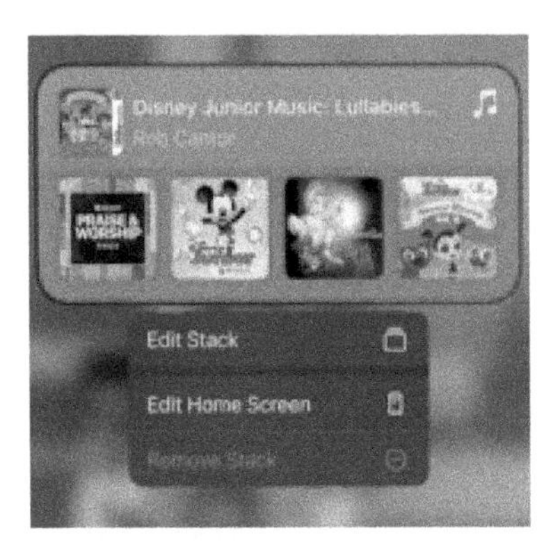

Bei der Bearbeitung können Sie den Stapel verschieben und Smart Rotate deaktivieren, damit er sich nicht im Laufe des Tages dreht.

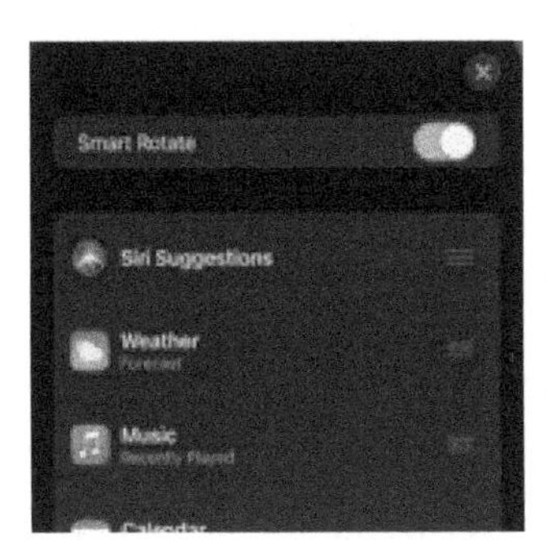

DAS LÄCHERLICH EINFACHE KAPITEL EINS - ZUSAMMENFASSUNG

Sie haben also nur eine Minute Zeit und brauchen eine 1-minütige Zusammenfassung aller wichtigen Informationen?

Kommen wir zu den Gesten. Die linke Seite ist die Art und Weise, wie die Geste früher funktionierte, und die rechte Seite ist die Art und Weise, wie sie auf den neuen iPad minis funktioniert.

Vorgängergeneration des iPad mini	***Nächste Generation iPad mini***
Zum Home-Bildschirm wechseln - Drücken Sie die Home-Taste.	Gehen Sie zum Startbildschirm - Wischen Sie vom unteren Bildschirmrand nach oben.
Multitasking - Drücken Sie zweimal die Home-Taste.	Multitasking - Wischen Sie vom unteren Bildschirmrand aus nach oben, aber heben Sie den Finger nicht an, bevor er die Mitte des Bildschirms erreicht hat.
Kontrollzentrum - Wischen Sie vom unteren Rand des Bildschirms nach oben.	Kontrollzentrum - Wische von der oberen rechten Ecke des iPad mini nach unten.
Benachrichtigungen - Wischen Sie vom oberen Rand des Bildschirms nach unten.	Benachrichtigungen - Wischen Sie von der oberen Mitte des Bildschirms nach unten.
Suchen - Wischen Sie auf dem Startbildschirm von der Mitte des Bildschirms nach unten.	Suchen - Wischen Sie auf dem Startbildschirm von der Mitte des Bildschirms nach unten.

Widgets aufrufen - Wischen Sie auf dem Start- oder Sperrbildschirm nach rechts.	Widgets aufrufen - Wischen Sie auf dem Start- oder Sperrbildschirm nach rechts.

[2]

Anfahren

Einrichten

Ich möchte nicht von den Hauptthemen ablenken und mehrere Seiten mit der Einrichtung des iPad mini verbringen. Die Einrichtung ist einfach, und die Bildschirmhilfe gibt Ihnen alles, was Sie wissen müssen. Es gibt jedoch ein paar Dinge, die Sie über die Einrichtung wissen sollten:

Sie können Dinge ändern. Wenn Sie zu etwas ja (oder nein) sagen, es sich aber anders überlegen, können Sie es in den Einstellungen ändern, die ich Ihnen in den entsprechenden Abschnitten in diesem Buch erläutern werde.

Wenn du von einem älteren iPad auf das iPad mini umziehst und alle Einstellungen beibehalten willst, solltest du sie sichern, bevor du sie über die Cloud wiederherstellst. Rufen Sie dazu die Einstellungen auf. Als Nächstes klickst du auf deinen Account-Namen (das erste, was du oben siehst). Dann iCloud und iCloud Backup (in der Mitte, wenn Sie scrollen) und schließlich Jetzt sichern.

Face ID - Face ID ist wahrscheinlich neu für Sie, es sei denn, Sie haben das letztjährige iPhone X. Eine Sache, die hervorzuheben ist, ist, dass Sie mehrere Gesichter hinzufügen können. Wenn zum Beispiel Ihr Ehepartner oder Ihr Kind Ihr Tablet benutzt, können sie ihr Gesicht zu Face ID hinzufügen und müssen nicht jedes Mal einen Passcode eingeben oder Sie bitten, das Gerät zu entsperren, wenn sie es benutzen wollen.

GESTEN

Im Laufe des Buches werde ich mich auf bestimmte Gesten beziehen. Um sicherzustellen, dass Sie die Terminologie verstehen, werden im Folgenden die gebräuchlichsten Gesten aufgeführt:

TIPPEN SIE AUF .

Das ist der "Klick" der iPad-Welt. Ein Tap ist nur eine kurze Berührung. Er muss nicht hart sein oder sehr lange dauern. Du tippst auf Symbole, Hyperlinks, Formulare und mehr. Du tippst auch Zahlen auf einer Touch-Tastatur, um Anrufe zu tätigen. Das ist nicht gerade eine Raketenwissenschaft, oder?

Tippen und halten

Das bedeutet einfach, dass Sie den Bildschirm berühren und Ihren Finger in Kontakt mit dem Glas lassen. Es ist nützlich, um Kontextmenüs oder andere Optionen in einigen Anwendungen aufzurufen.

Double Tap

Damit sind zwei schnelle Berührungen gemeint, wie ein Doppelklick mit dem Finger. Durch doppeltes Tippen werden in verschiedenen Anwendungen unterschiedliche Funktionen ausgeführt. Außerdem können Sie damit Bilder oder Webseiten vergrößern.

Swipe

Streichen bedeutet, dass Sie Ihren Finger auf die Oberfläche Ihres Bildschirms legen, ihn zu einem bestimmten Punkt ziehen und dann von der Oberfläche wegnehmen. Mit dieser Bewegung navigieren Sie durch die Menüebenen in Ihren Apps, durch die Seiten in Safariund vieles mehr. Es wird über Nacht zur zweiten Natur, das verspreche ich.

Ziehen

Das ist mechanisch dasselbe wie das Streichen, aber mit einem anderen Zweck. Sie berühren ein

Objekt, um es auszuwählen, und ziehen es dann dorthin, wo es hin soll, und lassen es los. Es ist genau wie das Ziehen und Ablegen mit der Maus, aber es überspringt den Zwischenhändler.

Kneifen

Nimm zwei Finger, lege sie auf den Bildschirm des iPad mini und bewege sie entweder aufeinander zu oder voneinander weg, indem du sie zusammen- oder auseinanderdrückst. Wenn Sie die Finger zusammenführen, wird die Ansicht in vielen Apps, z. B. in Webbrowsern und Fotobetrachtungsprogrammen, vergrößert, wenn Sie sie auseinanderführen, verkleinert.

Drehen und Neigen

Viele Apps auf dem iPad mini nutzen die Vorteile des Drehens und Neigens des Geräts selbst. In der kostenpflichtigen App Star Walk zum Beispielkannst du den Bildschirm so neigen, dass er auf den Bereich des Nachthimmels zeigt, der dich interessiert - Star Walk zeigt die Sternbilder entsprechend der Richtung an, in die das iPad mini zeigt.

Habe ich wirklich gerade Hunderte von Dollar für Emojis ausgegeben?

Der Grund, warum du 100 Dollar für ein iPad mini ausgegeben hast, das leistungsfähiger ist als viele Computer, war, dass du in deinen Textnachrichten niedliche Emojis verschicken konntest, oder? Okay...vielleicht nicht! Aber die Tastatur und damit auch die Emojis sind etwas, das du mit deinem iPad häufig verwendest. Es lohnt sich also, mehr darüber zu erfahren, bevor du dich näher mit der Software beschäftigst, die auf ihnen basiert.

Jedes Mal, wenn Sie eine Nachricht eingeben, wird die Tastatur automatisch eingeblendet. Es gibt keine zusätzlichen Schritte. Aber es gibt einige Dinge, die Sie mit der Tastatur tun können, um sie persönlicher zu gestalten.

Auf der Tastatur gibt es einige Besonderheiten zu beachten: Die Löschtaste ist mit einem kleinen "x" gekennzeichnet (sie befindet sich direkt neben dem Buchstaben M), und die Umschalttaste ist die Taste mit dem Pfeil nach oben (neben dem Buchstaben Z).

Standardmäßig wird der erste Buchstabe, den Sie eingeben, großgeschrieben. Sie können die Groß- und Kleinschreibung der Buchstaben jedoch auf einen Blick erkennen.

Um die Umschalttaste zu verwenden, tippen Sie einfach auf die Umschalttaste und dann auf den Buchstaben, den Sie groß schreiben möchten, oder auf die alternative Zeichensetzung, die Sie verwenden möchten. Sie können auch auf die Umschalttaste tippen und Ihren Finger auf den Buchstaben ziehen, den Sie groß schreiben möchten. Tippen Sie zweimal auf die Umschalttaste, um die Feststelltaste zu aktivieren (d. h. alles wird großgeschrieben), und tippen Sie einmal, um die Feststelltaste zu verlassen.

BESONDERE ZEICHEN

Um Sonderzeichen einzugeben, tippen Sie einfach auf die Taste des entsprechenden Buchstabens und halten Sie sie gedrückt, bis Optionen angezeigt werden. Ziehen Sie Ihren Finger auf das gewünschte Zeichen und schon kann es losgehen. Wofür genau würden Sie das verwenden? Nehmen wir an, Sie schreiben etwas auf Spanisch und brauchen den Akzent auf dem "e"; wenn Sie das "e" antippen und gedrückt halten, wird diese Option angezeigt.

DIKTAT VERWENDEN

Seien wir ehrlich: Das Tippen auf der Tastatur stinkt manchmal! Wäre es nicht einfacher, einfach zu sagen, was Sie schreiben wollen? Wenn das auf Sie zutrifft, dann kann Dictation helfen! Tippen Sie einfach auf das Mikrofon neben der Leertaste und beginnen Sie zu sprechen. Das funktioniert ziemlich gut.

Zahlen- und Symboltastaturen

Natürlich gibt es im Leben noch mehr als Buchstaben und Ausrufezeichen. Wenn Sie Zahlen verwenden müssen, tippen Sie auf die Taste 123 in der unteren linken Ecke. Dadurch wird eine andere Tastatur mit Zahlen und Interpunktionszeichen angezeigt.

Von dieser Tastatur aus können Sie zum Alphabet zurückkehren, indem Sie auf die ABC-Taste in der unteren linken Ecke tippen. Sie können auch auf eine zusätzliche Tastatur mit den übrigen Standardsymbolen zugreifen, indem Sie auf die Taste #+- tippen, die sich direkt über der ABC-Taste befindet.

Emoji Tastatur

Und endlich der Moment, auf den Sie gewartet haben! Emojis!

Die Emoji-Tastatur ist über die Smiley-Taste zwischen der 123-Taste und der Diktat-Taste zugänglich. Emojis sind kleine Cartoon-Bilder, mit denen Sie Ihre Textnachrichten oder andere schriftliche Ausgaben aufpeppen können. Das geht weit über die Doppelpunkt-basierten Emoticons von früher hinaus - es gibt genug Emojis auf deinem iPad mini, um ein ganzes visuelles Vokabular zu erstellen.

Um die Emoji-Tastatur zu verwenden, beachten Sie, dass es unten Kategorien gibt (und dass das Globus-Symbol ganz links Sie zur Welt der Sprache zurückbringt). Innerhalb dieser Kategorien gibt es mehrere Bildschirme mit Piktogrammen, aus denen Sie wählen können. Viele der menschlichen Emojis enthalten multikulturelle Varianten. Halten Sie sie einfach gedrückt, um weitere Optionen zu erhalten.

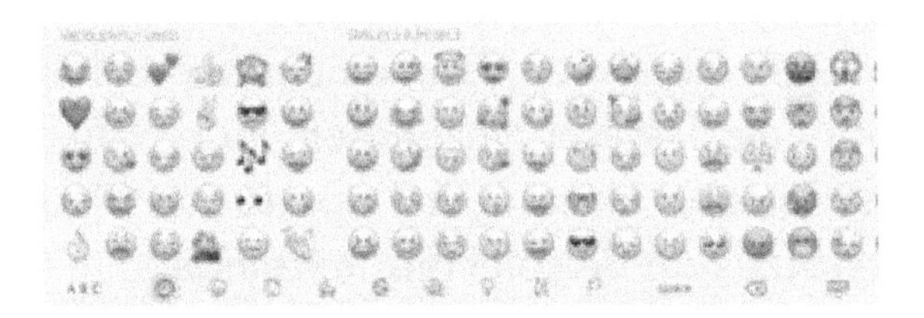

Mehrsprachige Texteingabe

Die meisten Menschen sind wahrscheinlich gut vorbereitet. Sie wissen alles, was sie über das Tippen auf dem iPad wissen müssen, und sie sind bereit, ihren Freunden Emojis zu schicken. Es gibt noch ein paar andere Funktionen, die für einige (nicht für alle) wichtig sind

Eine dieser Funktionen ist das mehrsprachige Tippen. Diese Funktion ist für Personen gedacht, die mehrere Sprachen gleichzeitig tippen. Wenn Sie also zwischen Spanisch und Englisch tippen, erhalten Sie nicht ständig die Meldung, dass Ihre Schreibweise falsch ist.

Wenn das auf Sie zutrifft, müssen Sie nur ein anderes Wörterbuch aktivieren, was ganz einfach ist. Gehen Sie zu Einstellungen > Allgemein > Wörterbuch.

Internationale Tastaturen konfigurieren

Wenn Sie häufig in einer anderen Sprache tippen, sollten Sie internationale Tastaturen einrichten. Um internationale Tastaturen einzurichten, besuchen Sie Einstellungen > Allgemein > Tastatur > Tastaturen. Du kannst dann eine entsprechende internationale Tastatur hinzufügen, indem du auf "Neue Tastatur hinzufügen" tippst. Das iPad mini unterstützt zum Beispiel die Texteingabe in Chinesisch. Du kannst zwischen Pinyin, Strichschrift, Zhuyin und Handschrift wählen, bei der du die Zeichen selbst skizzierst.

Wenn Sie eine andere Tastatur aktivieren, ändert sich die Smiley-Emoji-Taste in ein Weltkugel-Symbol. Um internationale Tastaturen zu verwenden, tippen Sie auf die Weltkugel-Taste, um zwischen den verschiedenen Tastaturen zu wählen.

Dein iPad mini ist vollgepackt mit Funktionen, die helfen, Fehler zu vermeiden. Dazu gehört die bewährte Autokorrektur von Apple, die vor häufigen Tippfehlern schützt. Mit iOS 8 hat Apple eine Textvorhersagefunktion eingeführt, die vorhersagt, welche Wörter du am ehesten tippen wirst, und deren Genauigkeit im neuen iPadOS noch besser ist.

Drei Auswahlmöglichkeiten werden direkt über der Tastatur angezeigt - der getippte Eintrag und die zwei besten Schätzungen. Die Textvorhersage ist auch etwas kontextspezifisch. Es lernt Ihre Sprachmuster, wenn Sie eine E-Mail an Ihren Chef schreiben oder eine SMS an Ihren besten Freund senden, und macht Ihnen je nachdem, mit wem Sie eine Nachricht oder E-Mail austauschen, entsprechende Vorschläge. Wenn Sie das stört, können Sie es natürlich ausschalten, indem Sie unter Einstellungen > Allgemein > Tastaturen den grünen Schieberegler nach links schieben und die Texterkennung deaktivieren.

[3]
Die Grundlagen

Willkommen zu Hause

Es gibt eine Sache, die sich seit der Veröffentlichung des ersten iPads kaum verändert hat: Der Startbildschirm. Das Aussehen hat sich weiterentwickelt (und das Dock am unteren Rand hat sich ein wenig verändert), aber das Layout nicht. Alles, was du darüber wissen musst, ist, dass es der Hauptbildschirm ist. Wenn ich also sage: "Gehen Sie zum Startbildschirm", dann ist das der Bildschirm, den ich meine. Macht das Sinn?

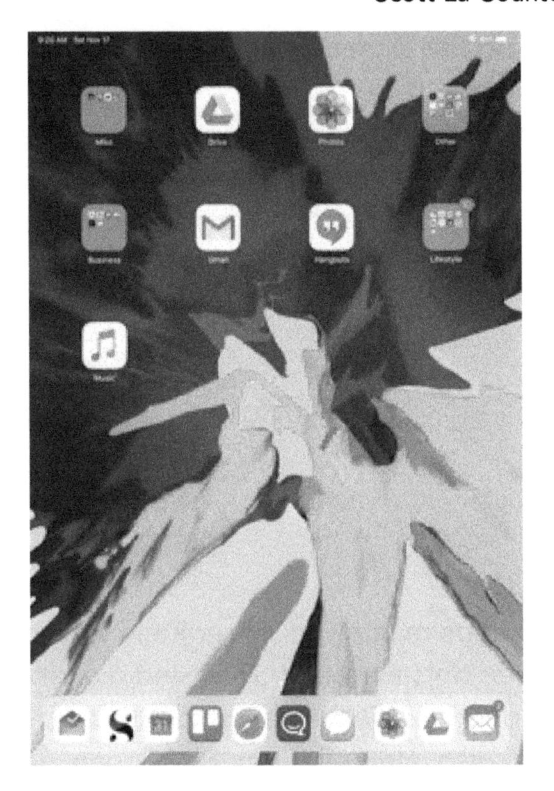

Das Dock

Das Dock ist der untere Teil des Startbildschirms.

Hier können Sie die Apps, die Sie am liebsten und am häufigsten verwenden, "andocken". Wenn du ein älteres iPad oder iPhone benutzt hast, dann kennst du das sicher. Aber dieses Dock ist ein bisschen anders.

Sehen Sie sich den obigen Screenshot an. Schauen Sie jetzt nach rechts. Sehen Sie diese Zeile? Wenn nicht, sehen Sie sich die Zeile darunter an:

Die Apps rechts von dieser Zeile wurden nicht von Ihnen dort abgelegt. Dies sind die letzten drei Anwendungen, die Sie verwendet haben. Sie werden sich also immer ändern. So können Sie viel schneller multitasken.

App-Bibliothek

Wenn Sie Ihr iPad oder iPhone lange genug benutzen, hatten Sie wahrscheinlich schon einmal ein Organisationsproblem. Es ist leicht, sich in Apps zu verlieben, und schon bald haben Sie Dutzende - wenn nicht Hunderte - davon!

Das ist alles schön und gut... bis du sie wiederfinden musst! Das iPad schafft hier Abhilfe mit der App-Bibliothek. Mit der App-Bibliothek kannst du Symbole für Apps ausblenden, die du nicht so oft verwendest. So sind sie zwar immer noch installiert, aber sie verstellen nicht den Blick auf deinen Bildschirm.

Sie finden die App-Bibliothek, indem Sie nach links streichen, bis Sie den letzten Bildschirm erreichen. Die Symbole sind alle gruppiert, damit Sie sie leichter finden, aber Sie können auch in der Suchleiste nach ihnen suchen. Denken Sie auch daran, dass dies alle Ihre Apps sind - auch die, die Sie nicht versteckt haben.

Es gibt auch ein Symbol für die App-Bibliothek in Ihrem Dock. Tippen Sie darauf und es werden alle Ihre Apps angezeigt.

Das ist ja alles schön und gut, aber wie blendet man die Apps eigentlich aus? Das ist dem Löschen von Apps nicht unähnlich. Tippen Sie zunächst auf den Bildschirm und halten Sie ihn gedrückt, bis ein Minus-Symbol auf den Symbolen erscheint (Hinweis: Dies gilt nur für Symbole, die sich NICHT im Dock befinden - die Symbole im Dock werden nur aus dem Dock entfernt, wenn Sie darauf tippen).

Wenn Sie auf die App tippen, werden Sie gefragt, ob Sie "App löschen" oder "Vom Startbildschirm entfernen" möchten. Sie sollten "Vom Startbildschirm entfernen" wählen, da die App beim Löschen vollständig von Ihrem Gerät entfernt wird. Sobald Sie das getan haben, ist die App verschwunden! Sie befindet sich jetzt in der App-Bibliothek. Um sie zurückzuholen, gehen Sie zur App-Bibliothek und ziehen Sie sie wieder heraus.

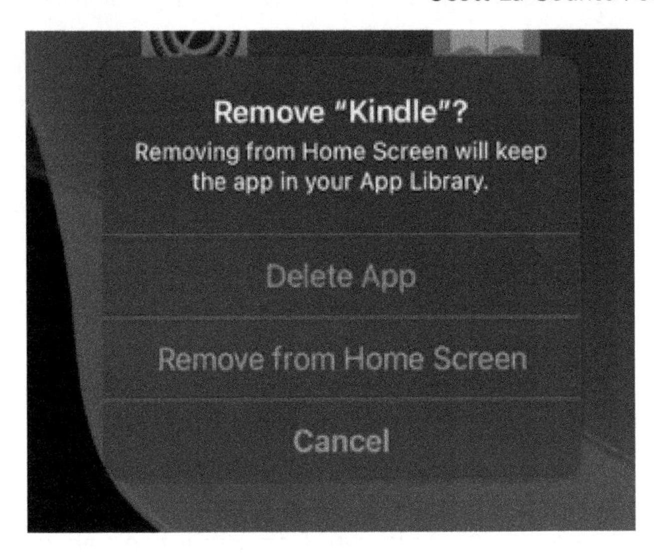

Wenn Sie schnell einen ganzen Bildschirm ausblenden möchten, tippen Sie auf Ihren Bildschirm, halten Sie ihn gedrückt und tippen Sie dann auf die beiden Punkte am unteren Rand.

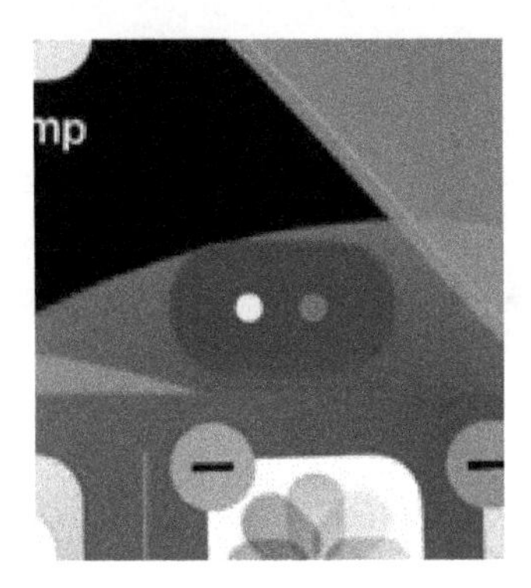

Sie können die Markierung jedes Bildschirms, den Sie ausblenden möchten, aufheben, aber Sie müssen einen Bildschirm nicht ausblenden.

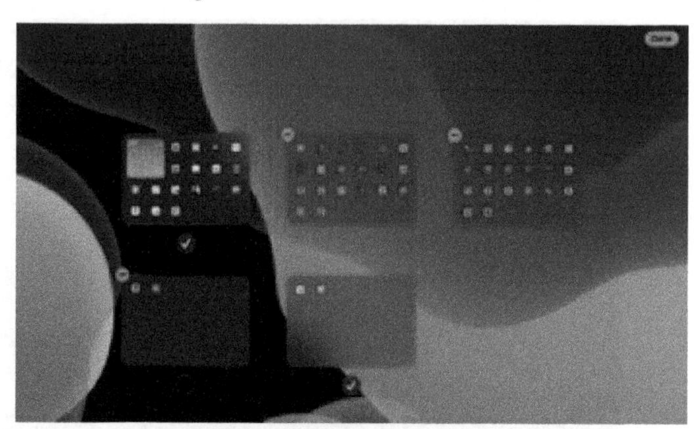

Sie können auch die gesamte Seite entfernen, wodurch alle Apps in der App-Bibliothek abgelegt werden.

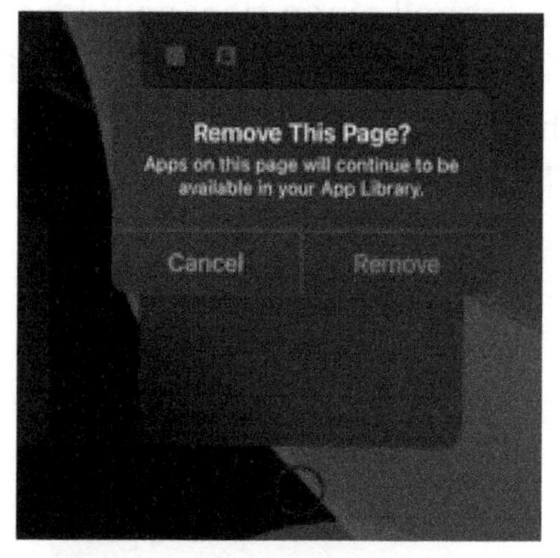

Bildschirm sperren

Irgendwann werden Sie wahrscheinlich den Sperrbildschirm ändern wollen, um ihn persönlicher zu gestalten. Das ist ganz einfach, und es gibt viele Optionen und Anpassungen.

Tippen Sie zunächst auf den Sperrbildschirm und halten Sie den Finger darauf. Daraufhin wird eine Option angezeigt, die wie die unten stehende aussieht. Tippen Sie auf das große +.

Als Nächstes werden Sie alle möglichen Variationen von Sperrbildschirmen sehen: von vorgefertigten bis hin zu benutzerdefinierten Foto-Bildschirmen.

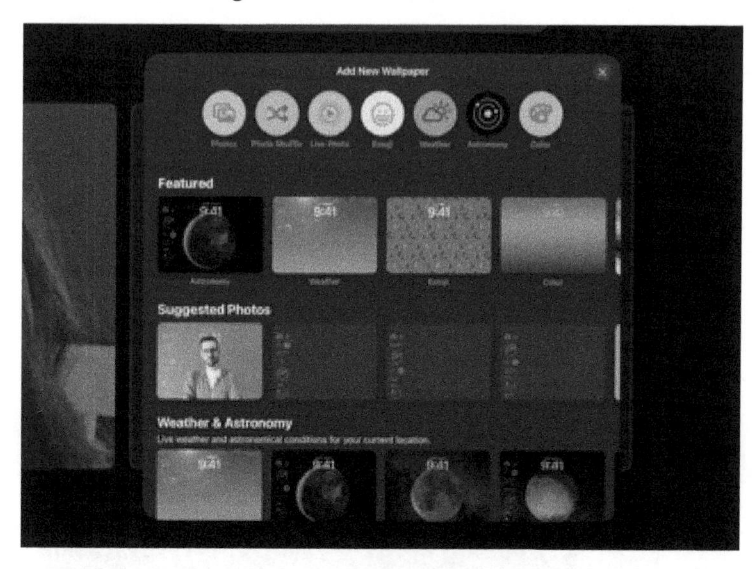

Sobald Sie die gewünschte Version gefunden haben, können Sie ihr Widgets hinzufügen.

Tippen Sie auf eines der Widget-Felder, und Sie sehen viele verschiedene Optionen, aus denen Sie wählen können.

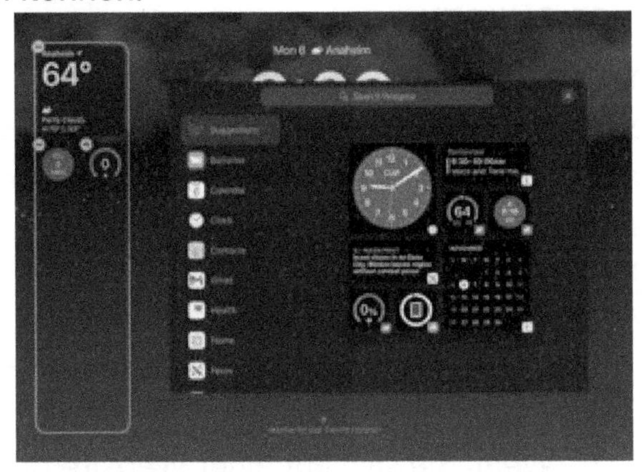

Sie können auch auf die Zeit tippen, um den Stil der Anzeige zu ändern.

Wenn Sie mit allen Änderungen zufrieden sind, tippen Sie auf Hinzufügen.

Anrufe tätigen

Dein iPad mini ist ein tolles Telefon.

Du hast richtig gelesen! Neben Tausenden von anderen Dingen kann dein iPad mini auch telefonieren. Das kann es auf zwei Arten:

Über Wi-Fi mit FaceTime Audio

Mit Ihrem iPhone

Es gibt eine Reihe von Möglichkeiten, Anrufe zu tätigen:

- Wenn Sie sich auf einer Website oder Karte befinden und eine Telefonnummer mit einem Hyperlink angezeigt wird, können Sie darauf tippen und die Nummer wählen. Hinweis: Hierfür muss ein iPhone mit dem iPad mini verbunden sein. Der Anruf kommt dann von der Telefonnummer deines iPhones.
- Wenn Ihnen jemand eine iMessage auf Ihrem iPad sendet (iMessage wird später in diesem Kapitel behandelt), können Sie auf diesen Namen und dann auf FaceTime Audio tippen; der Anruf wird dann über FaceTime Audio getätigt.

- Die Kontakte App enthält eine Liste aller Ihrer Kontakte (daher der Name der App!). Jeder Kontakt, der ein iPhone besitzt, das mit der angegebenen E-Mail verbunden ist, verfügt über eine Face-Time Audio-Option - oder, wenn Ihr iPhone mit Ihrem iPad mini verbunden ist, eine Option, um sie direkt anzuwählen.

Das Annehmen eines Anrufs ist ziemlich intuitiv. Wenn dein iPad mini mit deinem iPhone verbunden ist und sich das Telefon in Reichweite des iPad mini befindet, kommt der Anruf auch auf deinem iPad mini an. Zum Annehmen wischen. Das war's.

FaceTime

Wie kann man Menschen zusammenhalten, wenn sie sich trennen? Das ist etwas, worüber Apple gründlich nachgedacht hat. FaceTime auf dem iPad sieht besser aus als je zuvor.

Um zu beginnen, öffnen Sie die FaceTime-App; Sie haben zwei Optionen: Link erstellen oder Neuer FaceTime-Anruf.

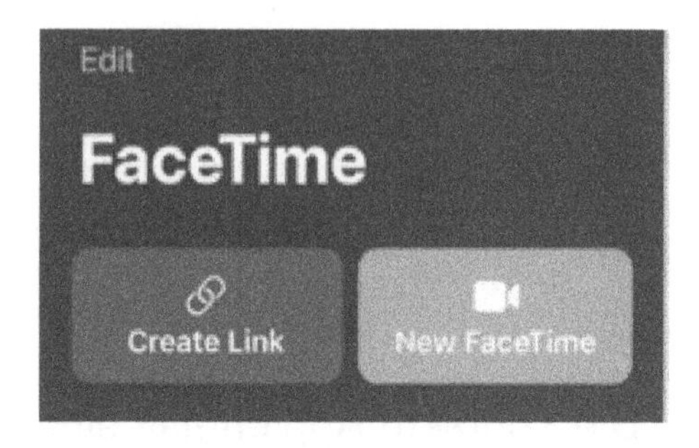

Mit der Schaltfläche "Link erstellen" können Sie einen Link erstellen, den Sie an andere weitergeben können. Das Tolle daran ist, dass dieser Link auch an Personen weitergegeben werden kann, die kein iPhone haben - sie können ihn also in Chrome auf einem Windows-Computer öffnen.

Wenn Sie jemanden lieber direkt anrufen möchten, tippen Sie auf die grüne Schaltfläche Neues FaceTime und geben Sie den Namen ein.

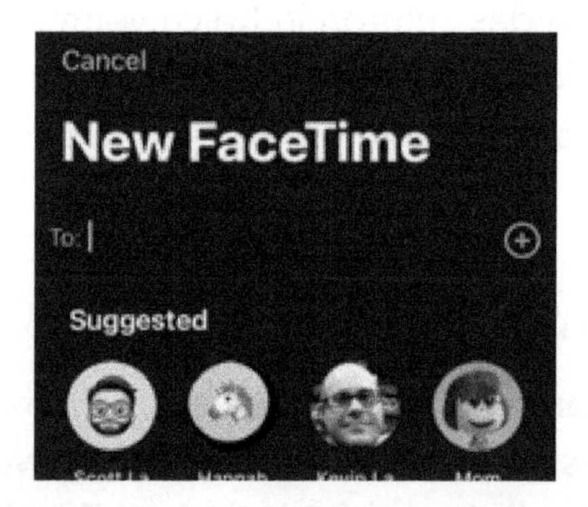

Ihr Vorschaufeld befindet sich in der unteren Ecke, kann aber durch Antippen und Halten und anschließendes Ziehen an eine beliebige Stelle des Bildschirms verschoben werden.

Wenn Sie dieses Vorschaufeld vergrößern, haben Sie mehrere Möglichkeiten. In der oberen linken Ecke befindet sich ein kleines Bildsymbol, mit dem Sie den Hintergrund unscharf oder nicht unscharf machen können. Mit dem Symbol unten rechts können Sie Ihre Kamera von der Vorderseite auf die Rückseite umschalten. Das Symbol in der Mitte unten schaltet die Bildmitte ein und aus. Die Bildmitte ist eine Funktion neuerer iPads, die Ihnen folgt, wenn Sie sich bewegen, d. h. wenn Sie sich ein wenig bewegen, schwenkt die Kamera, um Ihnen zu folgen. In der unteren linken Ecke werden Effekte angezeigt, die Sie hinzufügen können.

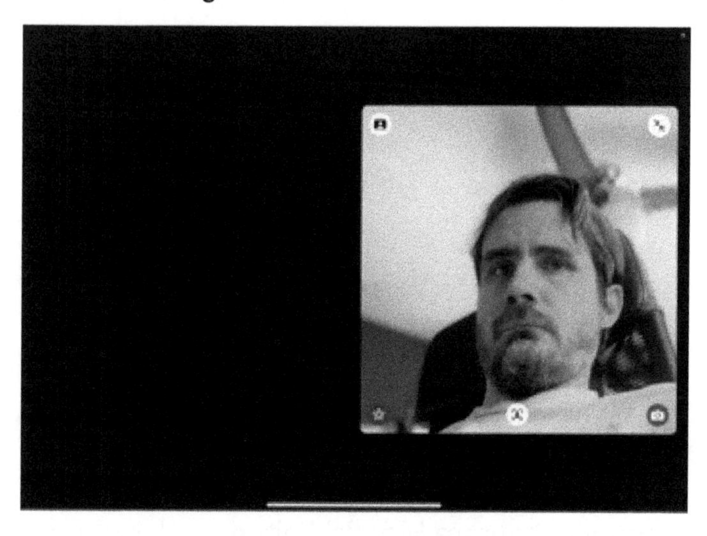

Die Effekte können durch Antippen und Halten verschoben oder durch Aufdrücken vergrößert werden.

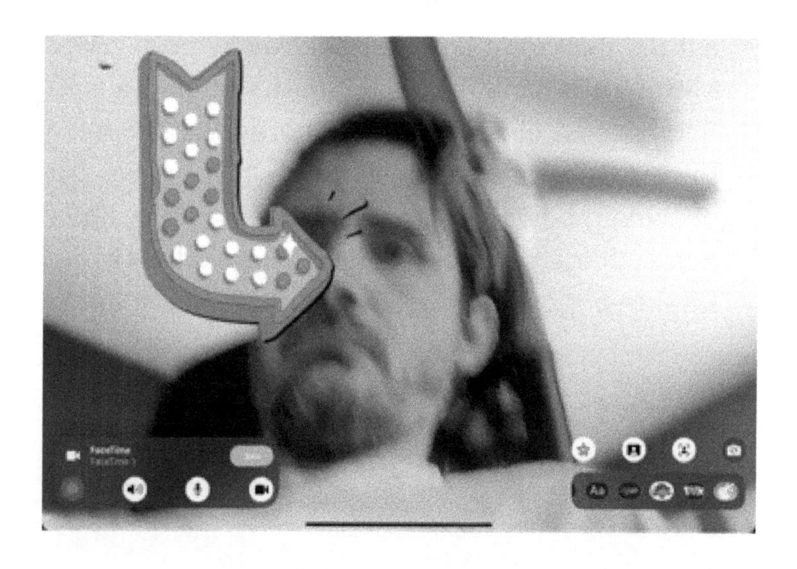

Wenn Sie auf den Bildschirm tippen, erscheint außerdem ein schwebendes Feld mit weiteren

Steuerelementen. Wenn Sie den Anruf noch nicht begonnen haben, z. B. wenn Sie jemand über FaceTime anruft, müssen Sie ihn annehmen und dann auf die Schaltfläche "Teilnehmen" tippen. Wenn Sie bereits im Gespräch sind, wird diese Schaltfläche zu einer Schaltfläche zum Beenden - tippen Sie darauf, um aufzulegen. Von links nach rechts sind die anderen Schaltflächen Nachrichten, um allen Teilnehmern des Anrufs eine Nachricht zu senden, Lautsprecher, wenn Sie den Ton auf etwas wie einen HomePod übertragen möchten, Mikrofon, wenn Sie Ihr Mikro ausschalten möchten, damit man Sie nicht hören kann, und Kamera, wo Sie Ihr Video ausschalten können - man kann Sie hören, aber nicht sehen.

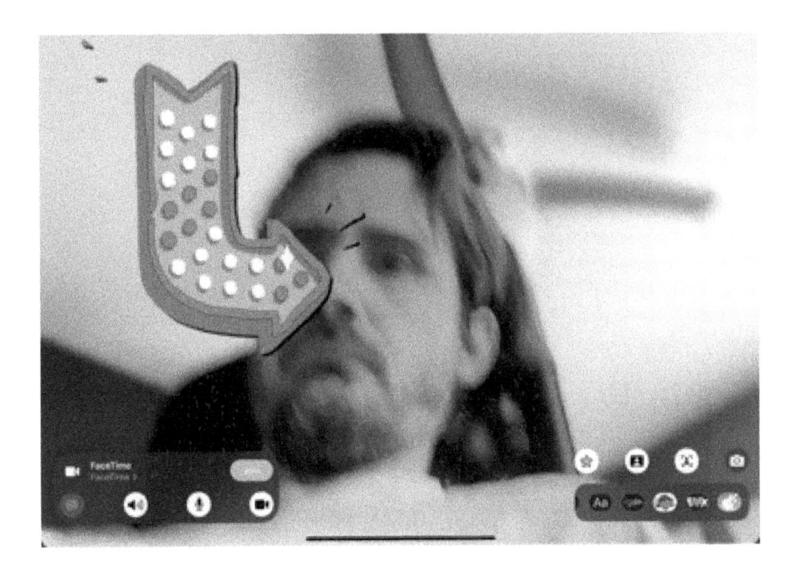

Dafür gibt es eine App

App ist die Abkürzung für Anwendung. Wenn Sie also den Ausdruck "Dafür gibt es eine App" hören, bedeutet das einfach, dass es ein Programm gibt, das das tut, was Sie tun wollen. Wenn Sie ein Windows-Benutzer sind, sind all die Dinge, die Sie immer öffnen (wie Word und Excel), Apps. Apple hat buchstäblich Millionen von Apps. Um eine App zu öffnen, muss man sie nur berühren.

Im Gegensatz zu Apps auf einem Computer musst du auf dem iPad keine Apps schließen. Das geht ganz automatisch. Bei den meisten Apps merkt es sich sogar, wo du warst. Wenn du die App also wieder öffnest, ist sie gespeichert.

Apps zum Organisieren

Wenn Sie wie ich sind - und das sind die meisten Menschen - lieben Sie Ihre Apps und Sie haben viele davon! Sie müssen also wissen, wie Sie sie verschieben, in Ordner ablegen und löschen können. Das ist alles ganz leicht zu bewerkstelligen.

Der Startbildschirm ist vielleicht der erste Bildschirm, den Sie sehen, aber wenn Sie nach rechts wischen, sehen Sie, dass es noch mehr gibt. Ich persönlich bewahre die am häufigsten verwendeten Apps auf dem ersten Bildschirm auf und die nicht so häufig verwendeten Apps in Ordnern auf dem zweiten. Im unteren Dock befinden sich die Anwendungen, die ich ständig benutze (wie Mail und Safari).

Um Apps neu anzuordnen, berühren Sie mit dem Finger eine Ihrer Apps und halten Sie sie gedrückt, bis das Symbol wackelt. Wenn die Apps auf diese Weise wackeln, können Sie sie berühren, ohne sie zu öffnen, und auf dem Bildschirm verschieben. Probieren Sie es aus! Berühren Sie einfach eine Anwendung und ziehen Sie Ihren Finger, um sie zu verschieben. Wenn Sie die perfekte Stelle gefunden haben, heben Sie den Finger an, und die App wird an ihrem Platz abgelegt. Wenn du mehr Apps heruntergeladen hast, kannst du sie auch über den Startbildschirm ziehen.

Sie können eine App mit der gleichen Methode löschen, mit der Sie sie verschieben. Der einzige Unterschied ist, dass Sie sie nicht verschieben, sondern auf das "x" in der oberen linken Ecke des Symbols tippen. Machen Sie sich keine Sorgen, dass Sie aus Versehen etwas löschen. Apps werden in der Cloud gespeichert. Sie können sie so oft löschen und installieren, wie Sie möchten. Sie müssen nicht erneut bezahlen, sondern sie nur erneut herunterladen.

Apps auf verschiedenen Bildschirmen zu platzieren, ist hilfreich, aber um wirklich organisiert zu sein, sollten Sie Ordner verwenden. Sie können zum Beispiel einen Ordner für alle Ihre Spiele-Apps, Finanz-Apps, sozialen Apps oder was auch immer Sie wollen anlegen. Den Namen können Sie selbst bestimmen. Wenn du einen Ordner "Apps, die ich auf der Toilette benutze" haben möchtest, kannst du ihn auf jeden Fall haben!

Um einen Ordner zu erstellen, ziehen Sie einfach eine Anwendung über eine andere Anwendung, die Sie in diesen Ordner hinzufügen möchten.

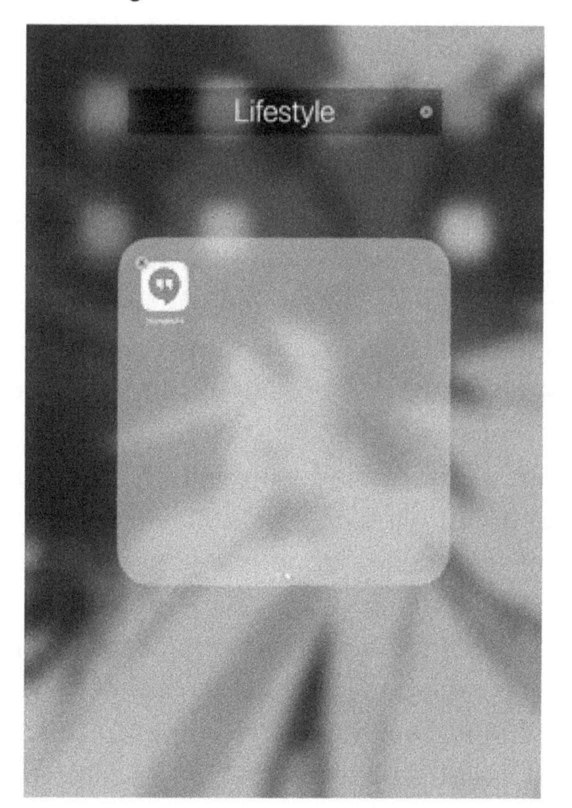

Sobald sie zusammen sind, kannst du den Ordner benennen. Um den Ordner zu löschen, versetzen Sie die Ordner-Apps einfach in den "Wackelmodus" und ziehen sie aus dem Ordner heraus. Das iPad mini lässt keine leeren Ordner zu. Wenn ein Ordner leer ist, löscht das iPad mini ihn automatisch.

Nachrichtenübermittlung

Immer mehr Tablet-Benutzer bleiben über Textnachrichten statt über Telefonate in

Verbindung, und mit dem iPad mini ist es ganz einfach, mit allen in Kontakt zu bleiben. Du kannst auch iMessage verwenden, um mit anderen Apple Nutzern zu kommunizieren. Mit dieser Funktion können Sie Sofortnachrichten an jeden senden, der an einem Mac mit OS X Mountain Lion oder höher oder an einem iOS-Gerät mit iOS 5 oder höher angemeldet ist. iMessage für iPadOS wurde komplett überarbeitet, um alles ein wenig... lebendiger zu machen.

Auf dem Hauptbildschirm Nachrichten können Sie die vielen verschiedenen Unterhaltungen sehen, die Sie führen. Sie können Konversationen auch löschen, indem Sie von rechts nach links über die gewünschte Konversation streichen und auf die rote Schaltfläche Löschen tippen. Neue Unterhaltungen oder bestehende Unterhaltungen mit neuen Nachrichten werden mit einem großen blauen Punkt daneben hervorgehoben und das Nachrichten-Symbol zeigt die Anzahl der ungelesenen Nachrichten an, ähnlich wie die Symbole von Mail und iPhone.

Um eine Nachricht zu erstellen, klicken Sie auf das Symbol Nachrichten und dann auf die Schaltfläche Verfassen in der oberen rechten Ecke.

Sobald das Dialogfeld für eine neue Nachricht angezeigt wird, klicken Sie auf die Plus-Schaltfläche (+), um aus Ihrer Kontaktliste auszuwählen, oder geben Sie einfach die Telefonnummer der Person ein, der Sie eine Nachricht senden möchten. Für Gruppennachrichten fügen Sie einfach so viele Personen hinzu, wie Sie möchten. Klicken Sie schließlich auf das untere Feld, um mit der Eingabe Ihrer Nachricht zu beginnen.

iMessage hat in den letzten Jahren eine Menge neuer Funktionen hinzugefügt. Wenn Sie nur eine Nachricht senden möchten, tippen Sie einfach auf den blauen Pfeil nach oben.

Aber Sie können so viel mehr tun, als nur eine Nachricht zu senden! (Bitte beachten Sie, wenn Sie eine Nachricht mit neueren Funktionen an jemanden mit einem älteren Betriebssystem oder einem Nicht-Apple-Gerät senden, wird sie nicht so aussehen, wie sie auf Ihrem Bildschirm erscheint).

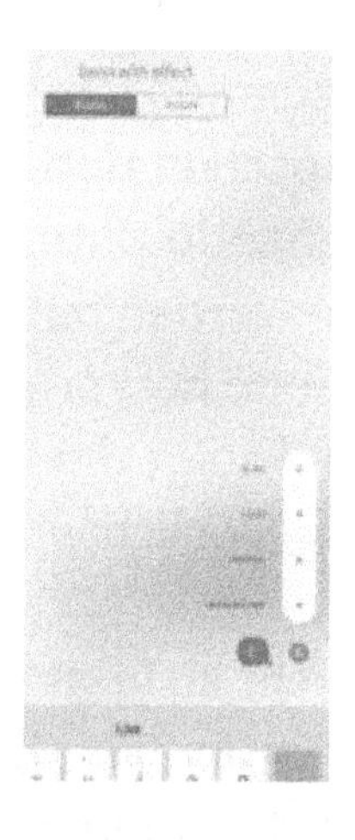

Oben auf diesem Bildschirm sehen Sie auch zwei Registerkarten; auf der einen steht "Sprechblase" und auf der anderen "Bildschirm"; wenn Sie auf "Bildschirm" tippen, können Sie dem gesamten Bildschirm Animationen hinzufügen. Wischen Sie nach rechts und links, um jede neue Animation zu sehen.

Wenn Sie eine Nachricht erhalten, die Ihnen gefällt und auf die Sie reagieren möchten, können Sie mit dem Finger auf die Nachricht oder das Bild tippen und diesen gedrückt halten; dadurch werden verschiedene Reaktionsmöglichkeiten angezeigt.

Sobald Sie Ihre Wahl getroffen haben, sieht die Person am anderen Ende der Leitung, wie Sie geantwortet haben.

Wenn Sie eine Animation, ein Foto, ein Video oder andere Dinge hinzufügen möchten, sollten Sie sich die Optionen neben der Nachricht ansehen.

Sie haben drei Möglichkeiten, die Ihnen noch mehr Möglichkeiten bieten! Die erste ist die Kamera, mit der du Fotos mit deiner Nachricht verschicken kannst (oder neue Fotos aufnehmen kannst - Achtung, diese Fotos werden nicht auf deinem iPad mini gespeichert). Apps verwenden (mehr dazu in einer Sekunde) und mit der letzten kannst du eine Nachricht mit deiner Stimme aufnehmen.

Schauen wir uns zunächst die Kameraoption an.

Wenn Sie ein Originalfoto aufnehmen möchten, tippen Sie auf die runde Schaltfläche am unteren Rand. Um Effekte hinzuzufügen, tippen Sie auf den Stern in der unteren linken Ecke.

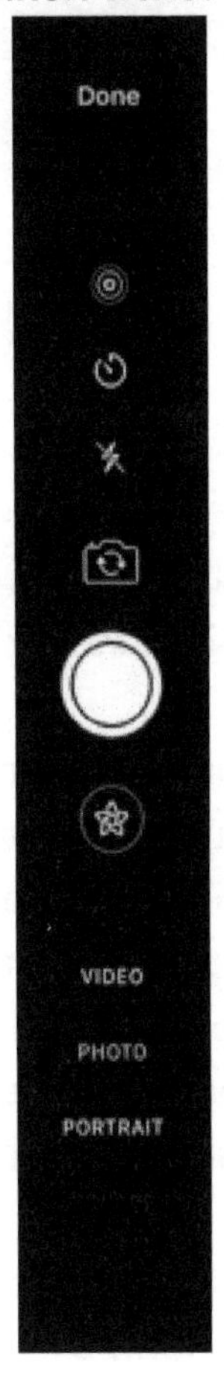

Wenn Sie auf "Effekte" tippen, werden die verschiedenen verfügbaren Effekte angezeigt. Ich werde bald mehr über Animoji erzählen, aber als Beispiel können Sie mit dieser App ein Animoji über Ihr Gesicht legen (siehe das Beispiel unten - nicht schlecht für ein Autorenfoto, oder?!)

Die letzte Option sind Apps. Die Apps für das iPad mini solltest du inzwischen kennen, aber jetzt gibt es eine neue Gruppe von Apps, die iMessage Apps. Mit diesen Apps kannst du sowohl albern sein (digitale Aufkleber verschicken) als auch ernsthaft (jemandem per SMS Geld schicken). Tippe auf die Taste "+", um den iMessage App Store zu öffnen. Laden.

Sie können alle Apps genau wie im normalen App Store durchsuchen.. Das Installieren ist ebenfalls gleich.

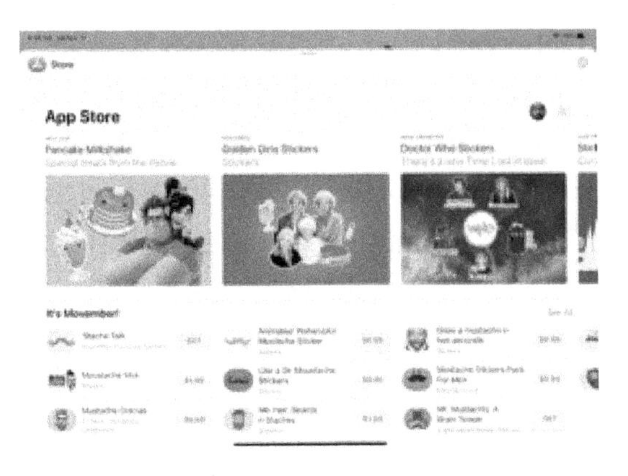

Wenn Sie die App verwenden möchten, tippen Sie einfach auf Apps, dann auf die App, die Sie laden möchten, und dann auf das, was Sie senden möchten. Sie können auch Sticker auf Nachrichten ziehen. Einfach tippen, halten und ziehen.

Außerdem gibt es in der App-Sektion eine Schaltfläche mit der Bezeichnung #images.

Wenn Sie auf diese Schaltfläche tippen, können Sie nach Tausenden von lustigen Memes und animierten GIFs suchen. Tippen Sie einfach auf die

Schaltfläche und suchen Sie einen Begriff, den Sie finden möchten, z. B. "Geld" oder "Kampf".

Eine letzte iMessage Funktion, die es sich lohnt auszuprobieren, ist die persönliche handschriftliche Notiz. Tippen Sie auf eine neue Nachricht, als ob Sie eine neue Nachricht schreiben wollten. Daraufhin wird eine Option angezeigt, mit der du mit deinem Finger eine handschriftliche Notiz erstellen kannst. Unterschreiben Sie und drücken Sie auf "Fertig", wenn Sie fertig sind.

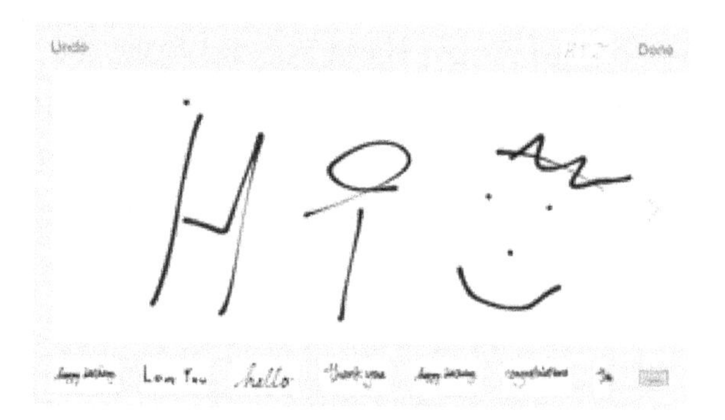

NACHRICHT MARKIEREN

Wenn Sie Messaging-Programme wie Slack verwendet haben, sind Sie wahrscheinlich nur allzu vertraut mit dem Markieren von Personen in einer Unterhaltung. Durch das Markieren wird die Aufmerksamkeit der Person geweckt und ein neuer Thread innerhalb der Unterhaltung gestartet.

Wenn Sie also in einem großen Textnachrichtenaustausch sind und jemanden markieren, können es alle lesen, aber nicht alle werden benachrichtigt. So ist es etwas weniger aufdringlich.

Um jemanden in einer Unterhaltung zu markieren, setzen Sie einfach ein @ vor den Namen, wenn Sie antworten.

Wenn Sie auf eine Nachricht inline antworten möchten, drücken Sie lange auf die Nachricht. Mit "in-line" meine ich Folgendes: Angenommen, es gibt eine Nachricht, die mehrere Texte weiter oben steht - Sie können lange auf die Nachricht drücken, um sie zu beantworten, damit sie wissen, auf welche Nachricht Sie sich beziehen.

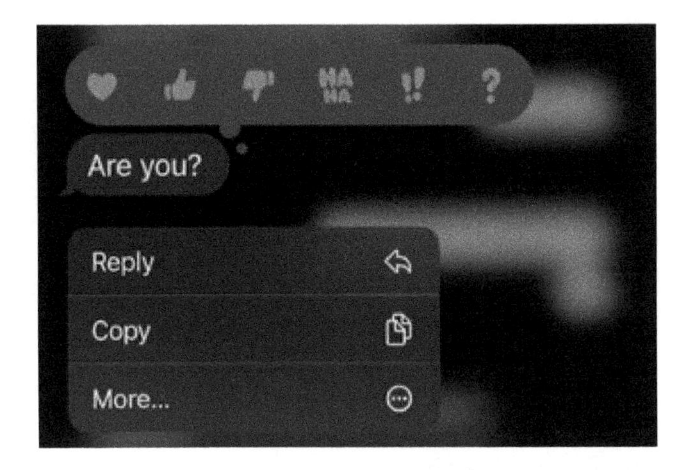

Sobald Sie auf "Antworten" tippen, antworten Sie einfach wie gewohnt.

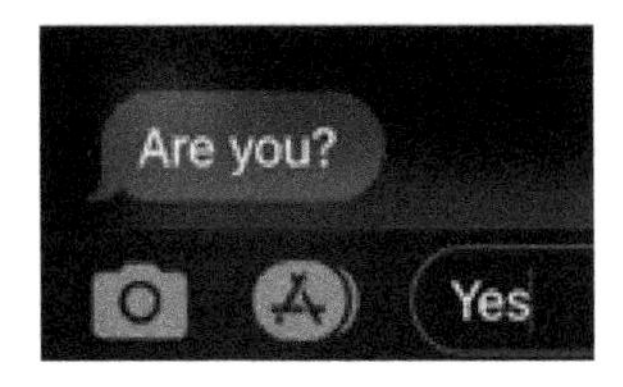

Dadurch wird die Person benachrichtigt, und sie sieht die Nachricht mit einer Antwortbenachrichtigung unter der Nachricht.

Wenn es sich um mehrere Texte handelt, sehen sie es auch wie die unten stehende Nachricht.

Nachrichten nicht senden

Seien wir ehrlich: Wir alle haben schon Texte verschickt, die wir später bereut haben. Sie können diese Texte rückgängig machen oder bearbeiten. Tippen Sie einfach auf die Nachricht und halten Sie sie gedrückt (Sie müssen dies relativ schnell tun - wenn zu viel Zeit vergeht, wird die Option ausgeblendet), und wählen Sie dann entweder Senden rückgängig machen oder Bearbeiten.

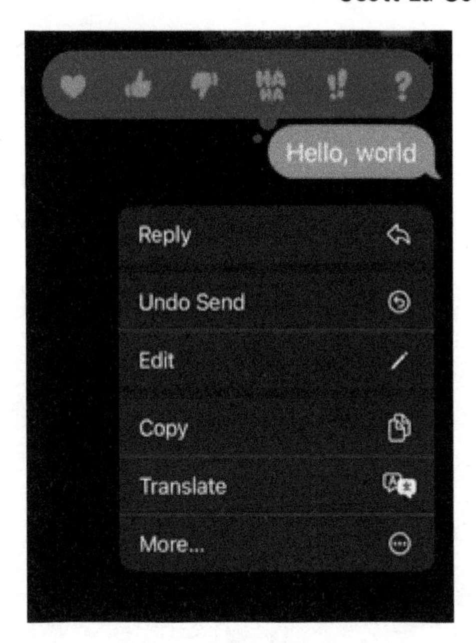

Wenn Sie glauben, dass Sie damit aus der Schusslinie kommen und sagen können: "Das habe ich nie gesagt!" Denken Sie noch einmal nach! Die Person am anderen Ende des Textes wird sehen, dass die Nachricht nicht gesendet oder bearbeitet wurde.

Anheften von Nachrichten

Wenn Sie viel texten, kann es etwas mühsam werden, zu antworten. Die Funktionsweise von Messages funktioniert so, dass die neuesten Unterhaltungen ganz oben angezeigt werden. Das funktioniert meistens gut, aber Sie können auch Favoriten oben anheften.

In dem folgenden Beispiel steht meine Frau ganz oben in den Gesprächen. Auch wenn andere Personen mir in letzter Zeit geschrieben haben, wird sie immer oben stehen (es sei denn, ich entferne sie). Das macht es einfach, zu antworten.

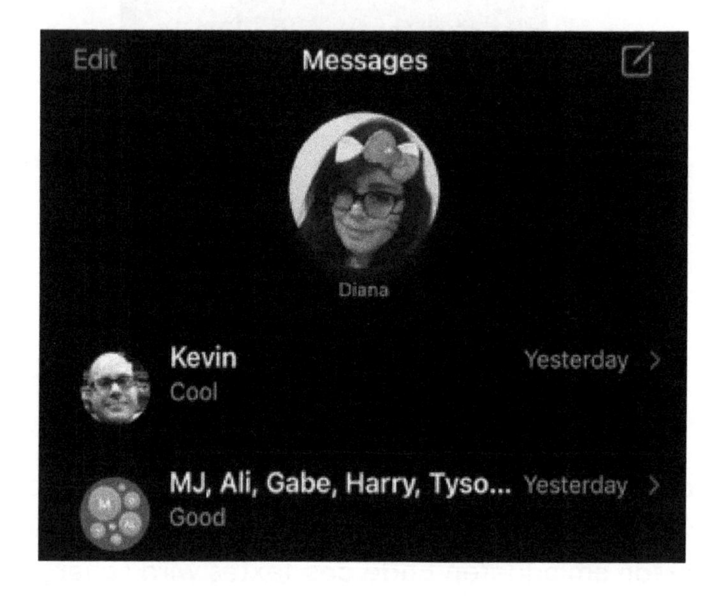

Um jemanden hinzuzufügen oder zu entfernen, tippen Sie auf die Schaltfläche "Bearbeiten" in der oberen linken Ecke und wählen Sie dann "Pins bearbeiten" (oder wischen Sie nach rechts über die Nachricht).

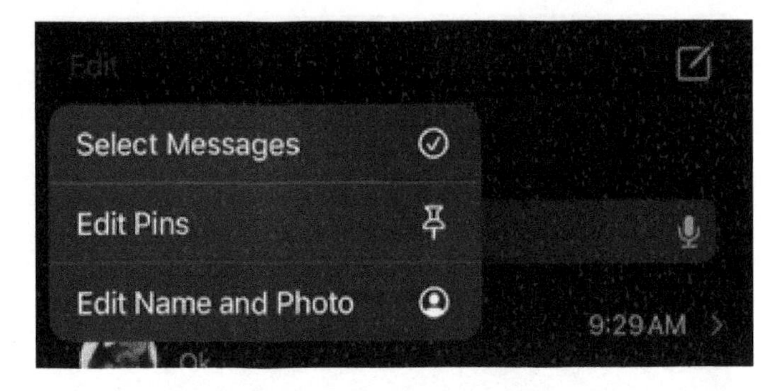

Wenn Sie sie entfernen möchten, tippen Sie auf das Minus-Symbol über ihrem Foto (in der oberen linken Ecke); wenn Sie sie hinzufügen möchten, tippen Sie auf das gelbe Pin-Symbol.

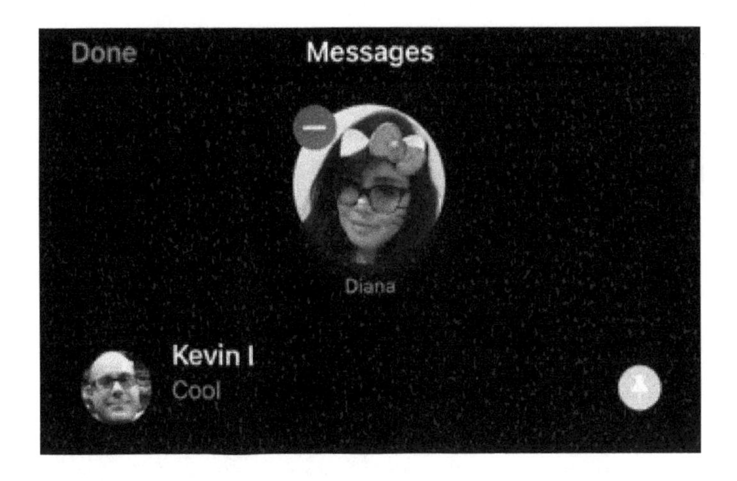

Sie können mehrere Personen an den Anfang setzen. Ich persönlich finde drei gut, aber Sie können noch mehr hinzufügen.

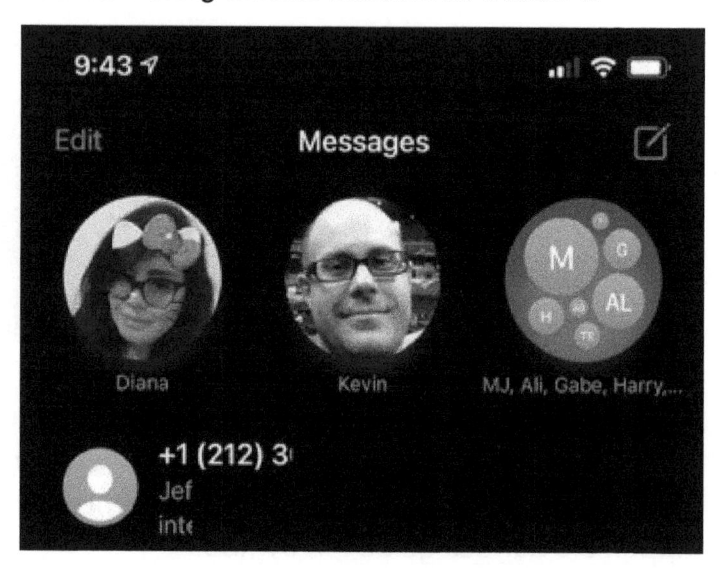

Fotos in Nachrichten

Die Nachrichten ordnen die gesendeten Fotos in Zweier- oder Dreiergruppen vertikal an.

Wenn Sie mehr als drei Fotos auf einmal senden, werden sie zusammen gestapelt, und Sie können zwischen ihnen hin- und herschalten, indem Sie über das Foto nach links oder rechts streichen.

STANDORT UND MEHR

Über die kleine Schaltfläche + neben dem Nachrichtenfeld werden alle Nachrichtenoptionen angezeigt. Wenn Sie z. B. Ihren Standort mit jemandem teilen möchten, tippen Sie einfach auf Standort.

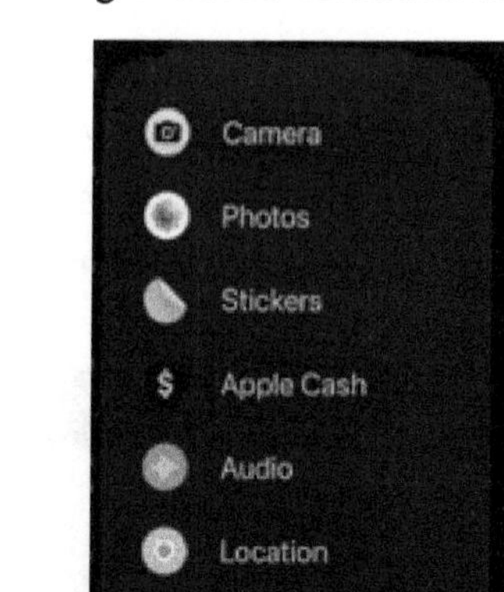

AUFKLEBER

Haben Sie die Option für Aufkleber auf dem Bild oben bemerkt? Die ist ziemlich cool. Du kannst deine Fotos verwenden, um eigene Sticker zu erstellen.

Um loszulegen, öffnen Sie ein beliebiges Foto. Tippen Sie auf das Foto, von dem Sie einen Sticker erstellen möchten, und halten Sie den Finger darauf. Im folgenden Beispiel erstelle ich einen von meinem Hund. Sehen Sie, wie das Motiv des Fotos automatisch hervorgehoben werden kann? Tippen Sie anschließend auf die Option Sticker hinzufügen.

Von hier aus können Sie nichts tun, oder Sie können auf Effekt hinzufügen tippen.

Mit Effekt hinzufügen können Sie entweder einen Rahmen oder einen anderen Effekt auf Ihren Aufkleber anwenden.

Sie können nun zurück in die Nachrichten gehen und auf die Schaltfläche + neben dem Nachrichtenfeld tippen; Sie können Ihren Sticker in eine Nachricht ziehen.

SUCHE NACH NACHRICHTEN

Die Suche nach Nachrichten ist auf dem iPad ziemlich einfach. Geben Sie einfach ein, was Sie finden möchten. Das Besondere daran ist, dass die Ergebnisse gruppiert werden. So werden alle Fotos, Notizen, Karten usw. zusammen angezeigt.

BENACHRICHTIGUNGEN

Wenn Sie Ihr Tablet gesperrt haben, werden ab einem bestimmten Zeitpunkt Benachrichtigungen angezeigt, z. B. "Sie haben eine neue E-Mail erhalten", "Vergessen Sie nicht, Ihren Wecker zu stellen" usw.

Wenn du also alle deine Benachrichtigungen auf deinem Sperrbildschirm siehst, werden sie nach ihrer Kategorie geordnet. Um alle Benachrichtigungen einer bestimmten Kategorie zu sehen, tippen Sie einfach darauf.

Sie sind kein Fan von Gruppenbildung? Kein Problem! Sie können sie für jede App deaktivieren. Gehen Sie zu Einstellungen, dann zu Benachrichtigungenund tippen Sie dann auf die App, für die Sie die Gruppierung deaktivieren möchten. Deaktivieren Sie unter Gruppierung von Benachrichtigungen einfach die automatische Gruppierung.

AirDrop verwenden

AirDrop AirDrop wurde mit iOS 7 eingeführt, obwohl Apple-Fans wahrscheinlich die Mac OS-Version auf MacBooks und iMacs verwendet haben. In Mac OSX Sierra und Yosemite können Sie endlich mit AirDrop Daten zwischen iPadOS und Ihrem Mac austauschen.

AirDrop AirDrop ist der Dateifreigabedienst von Apple und gehört zur Standardausstattung von iPadOS 16 Geräten. Du kannst AirDrop über das Symbol "Teilen" überall in iPadOS 16 aktivieren. Wenn andere AirDrop-Nutzer in der Nähe sind, siehst du alles, was sie in AirDrop teilen, und sie können alles sehen, was du teilst.

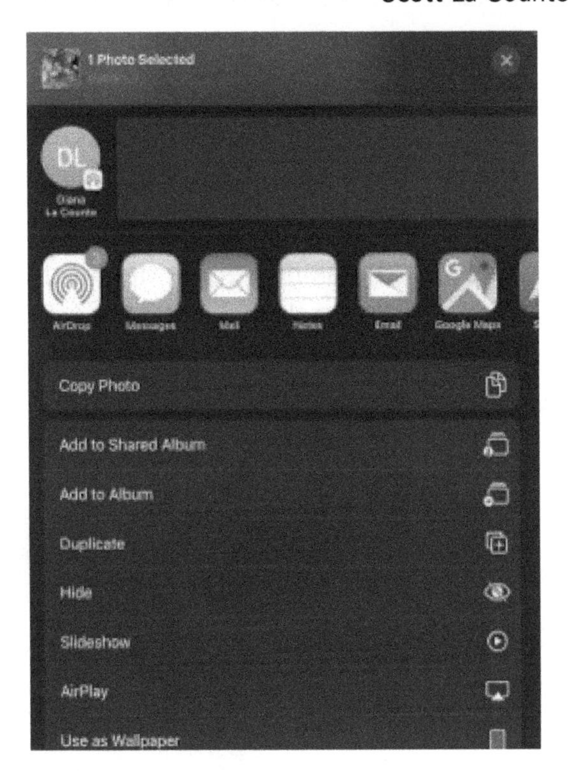

MULTITASKING

Multitasking ist die Möglichkeit, mehr als zwei Anwendungen gleichzeitig laufen zu lassen.

Wenn Sie eine einzelne Anwendung ausführen, sehen Sie diese drei Punkte? Das ist Ihr Multitasking-Menü. Es ist da, egal ob Sie die Funktion verwenden oder nicht. Wenn Sie darauf tippen, wird es erweitert und zeigt an, dass Sie entweder von Multitasking auf Vollbild umschalten, zwei Apps nebeneinander haben oder ein Multitasking-Fenster einblenden können (bei dem eine App über der anderen erscheint).

Wenn Sie Multitasking verwenden und auf dieses Menü klicken, sehen Sie, was unten passiert: Es wird ein Multitasking-Fenster in der Vorschau angezeigt. So können Sie schnell zwischen den Multitasking-Anwendungen wechseln.

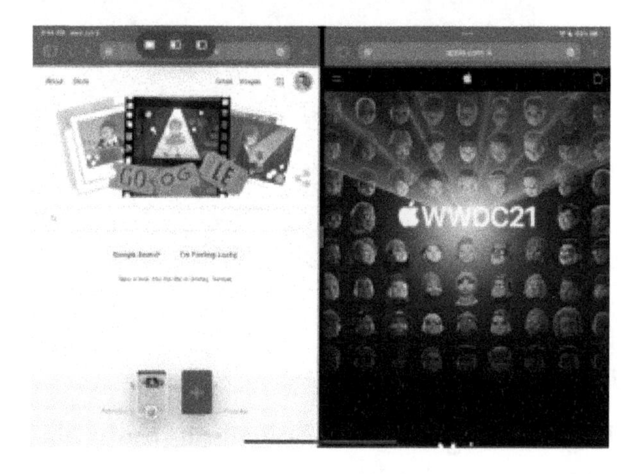

Im folgenden Beispiel habe ich zwei Multitasking-Fenster, zwischen denen ich hin- und herschalten kann. Wenn ich ein neues Fenster hinzufügen möchte, tippe ich auf Neues Fenster.

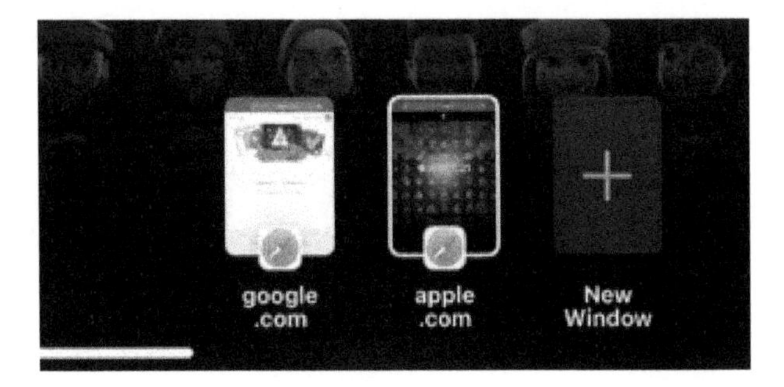

Um Fenster zu schließen, wischen Sie einfach mit dem Finger nach oben über die Miniaturansicht, die Sie schließen möchten.

BÜHNENMEISTER

Mit dem Stage Manager können Sie zwischen verschiedenen Anwendungen multitaskingfähig sein. Normalerweise haben Sie eine App geöffnet; wenn Sie zur nächsten App wechseln möchten, müssen Sie die App verlassen, die App suchen und sie öffnen.

Wenn der Stage Manager aktiviert ist, sieht es wie in der folgenden Abbildung aus.

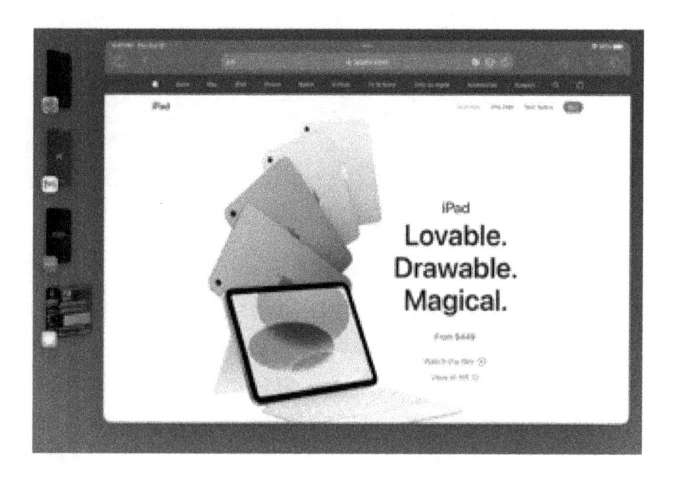

Mit den Miniaturansichten können Sie schnell zwischen den geöffneten Anwendungen wechseln.

Gehen Sie zum Kontrollzentrum in der oberen rechten Ecke Ihres Bildschirms, um es einzuschalten.

Drücken Sie erneut, um sie auszuschalten. Wenn Sie die Taste erneut drücken, erhalten Sie auch die Option, wie Sie die Apps sortieren möchten.

Sie können ihn auch waagerecht verwenden.

BILD IM BILD

Während der Wiedergabe eines Videos (oder während eines FaceTime Videoanrufs), drücken Sie die Home-Taste und das Video wird auf eine Ecke des Displays verkleinert. Sie können es auch mit drei Fingern zusammenziehen, um es zu verkleinern.

Sobald es verkleinert ist, können Sie es auf Ihrem Bildschirm in eine der vier Ecken verschieben.

Wenn Sie das Video schließen möchten, tippen Sie auf das "x"; wenn Sie es vergrößern möchten, tippen Sie auf die Schaltfläche ganz links; und wenn

Sie es in einer anderen Anwendung abspielen möchten, öffnen Sie einfach eine beliebige Anwendung.

[4]

Ein bisschen mehr als nur Basic

E-Mail

Mit dem iPad mini kannst du mehrere E-Mail-Adressen von praktisch jedem beliebigen E-Mail-Client hinzufügen. Yahoo, Gmail, AOL, Exchange, Hotmail und viele andere können dem iPad mini hinzugefügt werden, damit du deine E-Mails abrufen kannst, egal wo du bist. Um eine E-Mail-Adresse hinzuzufügen, klickst du auf das Symbol der App "Einstellungen" und scrollst dann zur Mitte, wo du "Mail, Kontakte & Kalender. Sie sehen dann die Logos der größten E-Mail-Anbieter. Wenn Sie eine andere Art von E-Mail haben, klicken Sie einfach auf "Andere" und fahren Sie fort.

Wenn Sie Ihre E-Mail-Einstellungen nicht kennen, müssen Sie die Seite "Mail Settings Lookup" auf der Apple-Website besuchen. Dort können Sie Ihre gesamte E-Mail-Adresse eingeben, und die Website zeigt Ihnen, welche Informationen Sie an welcher Stelle eingeben müssen, damit Ihr E-Mail-Konto auf dem Tablet funktioniert. Die Einstellungen sind bei allen Anbietern unterschiedlich. Was bei einem Anbieter funktioniert, funktioniert bei einem anderen möglicherweise nicht. Sobald Sie so viele E-Mail-Konten hinzugefügt haben, wie Sie benötigen, können Sie auf das Symbol für die E-Mail-App auf dem Startbildschirm Ihres Tablets klicken und jeden Posteingang einzeln oder alle auf einmal anzeigen.

Wenn Sie die Mail-Anwendung von Apple verwenden, sollten Sie sich über einige Funktionen informieren.

Nachricht abbrechen

Wenn Sie eine Nachricht versehentlich gesendet haben, können Sie sie rückgängig machen... sozusagen. Die Einschränkung ist, dass Sie sie innerhalb von zehn Sekunden zurücknehmen müssen. Es geht also nicht darum, die schreckliche Nachricht an Ihren Chef zu löschen, die Sie letzte Woche verschickt haben und jetzt bereuen! Das Ziel ist nur, Dinge zu löschen, die Sie aus Versehen gesendet haben, z. B. weil Sie vergessen haben, etwas anzuhängen.

Tippen Sie dazu auf die blaue Schaltfläche am unteren Rand Ihres Posteingangs, die nach dem Versenden angezeigt wird. Sie sehen ihn nicht? Das bedeutet leider, dass Ihr Zeitfenster bereits verstrichen ist und es zu spät ist. Wenn Sie es rechtzeitig schaffen, geht die E-Mail zurück in den Erstellungsstatus.

Zeitplan Mail

Es kommt wahrscheinlich oft vor, dass Sie eine E-Mail verfassen, sie aber nicht sofort versenden wollen. Wenn ich Kurse unterrichte, plane ich E-Mails so, dass sie am Tag des Kurses verschickt werden. Auf diese Weise sind sie sofort einsatzbereit und werden am Tag des Kurses automatisch ausgelöst.

Verfassen Sie dazu die E-Mail wie gewohnt, aber anstatt auf den blauen Pfeil zum Senden zu tippen, drücken Sie lange darauf (d. h. halten Sie ihn gedrückt); dadurch wird eine Option angezeigt, die Sie fragt, wann Sie die E-Mail senden möchten. Treffen Sie Ihre Wahl und tippen Sie dann auf Fertig.

E-Mail-Erinnerung

Wenn Sie zu einem späteren Zeitpunkt in der Woche an eine E-Mail erinnert werden möchten, öffnen Sie die E-Mail und wählen Sie die Schaltfläche "Antworten". Daraufhin werden mehrere

Optionen angezeigt. Eine davon ist "Erinnere mich".

Surfen im Internet mit Safari

Sie haben bereits gesehen, wie die Adressleiste funktioniert. Um nach etwas zu suchen, verwenden Sie genau dasselbe Feld. Auf diese Weise können Sie nach allem im Internet suchen. Stellen Sie sich das Feld wie eine Suchmaschine von Google, Bing oder Yahoo! in der Ecke Ihres Bildschirms vor. Und genau das ist es auch. Denn wenn Sie suchen, wird eine dieser Suchmaschinen verwendet, um Ergebnisse zu finden.

Wenn Sie Safari schon einmal verwendet haben, wird es für Sie wahrscheinlich ein wenig anders aussehen. Im Jahr 2021 hat Apple Safari ein Facelifting verpasst, um es noch einfallsreicher zu machen. Es ist großartig auf dem iPad, aber noch besser, wenn Sie ein ganzes Ökosystem von Geräten haben.

Lassen Sie uns einen Blick auf die Anatomie des Browsers werfen, dann erkläre ich Ihnen, wie er funktioniert.

Die obere Symbolleiste sieht ziemlich kahl aus. Der Schein kann trügen, denn hier gibt es eine Menge zu sehen. Ganz links befindet sich die Schaltfläche für das Seitenmenü, mit der Sie Ihre Gespeicherten Tabs (dazu später mehr), den privaten Ansichtsmodus, den Verlauf und vieles mehr aufrufen können; in der Mitte können Sie die Website entweder eingeben oder suchen (mit dem Mikrofon können Sie sie sagen, anstatt sie zu tippen), und schließlich können Sie mit der Schaltfläche "Plus" einen neuen Tab öffnen.

Tabs sehen auf dem iPad nicht wie Tabs aus. In dem Beispiel unten sind drei Tabs geöffnet. Der mittlere ist die geöffnete Website, die beiden kleineren (Startseite und Amazon) sind die geöffneten, nicht aktiven Tabs.

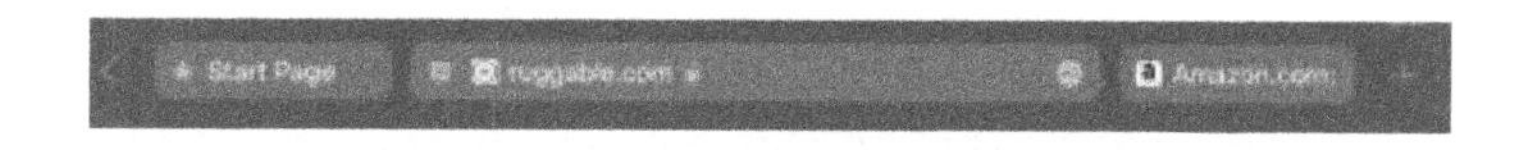

Es gibt mehrere Möglichkeiten, eine Registerkarte zu schließen. Zum einen können Sie auf das X neben dem Namen der Website tippen (dies gilt nur für die aktive Registerkarte); zum anderen können Sie Ihren Finger auf die Registerkarte tippen und gedrückt halten und dann Registerkarte auswählen; und schließlich können Sie auf die Plus-Taste tippen und gedrückt halten und dann auswählen, um die Registerkarte zu schließen.

Wenn Sie auf die Plus-Taste tippen und sie gedrückt halten, werden noch einige andere Optionen angezeigt. Eine davon ist "Neues Fenster öffnen". Damit wird ein neues Safari-Multitasking-Fenster neben dem aktuellen Fenster geöffnet - Sie haben also zwei Browser gleichzeitig geöffnet. Es gibt auch eine Option für einen neuen privaten Tab. Damit können Sie das Web durchsuchen, ohne dass Ihr Verlauf gespeichert wird - ideal für den Geschenkekauf, wenn Sie sich ein Gerät teilen.

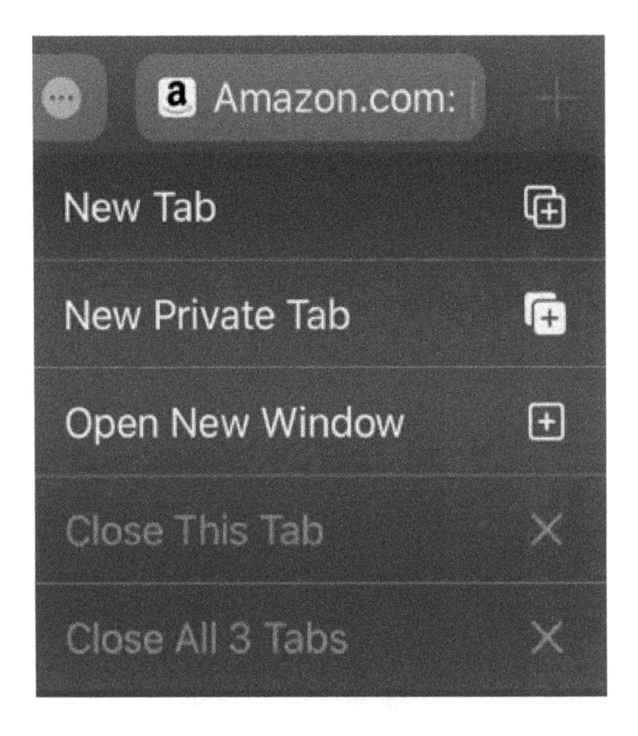

Website-Optionen

Wenn Sie auf die drei Punkte auf der Seite klicken, die Sie gerade besuchen, erhalten Sie mehrere weitere Optionen. Hier können Sie die Seite zu Ihren Lesezeichen oder zu Ihren Favoriten hinzufügen. (Favoriten werden immer dann angezeigt, wenn Sie Safari starten, nachdem es geschlossen wurde - sie werden als "Startseite" bezeichnet.) Sie können die Seite auch für andere freigeben, die Textgröße ändern und einen Datenschutzbericht anzeigen. Der Datenschutzbericht zeigt alle Tracker auf einer Seite an, sodass Sie wissen, welche Informationen ein Unternehmen über Sie sammelt.

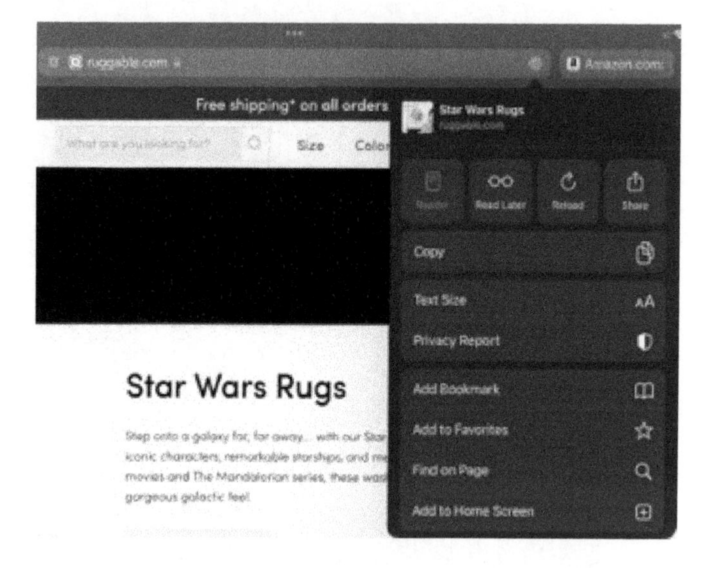

Menü Optionen

Ganz links finden Sie die Option zum Aufrufen des Menüfensters. Das Menü kann beim Durchsuchen angezeigt werden, oder Sie können es einklappen, sobald Sie das Gesuchte gefunden haben.

Hier können Sie ein paar Dinge tun. Erstens: Tabs gruppieren; es gibt viele Möglichkeiten, Tabs zu gruppieren, daher gehe ich im nächsten Abschnitt darauf ein. Startseite ist Ihre Homepage; Privat verwandelt Ihren Browser in ein privates

Surferlebnis, bei dem Ihr Webverlauf und Ihre Kennwörter nicht gespeichert werden.

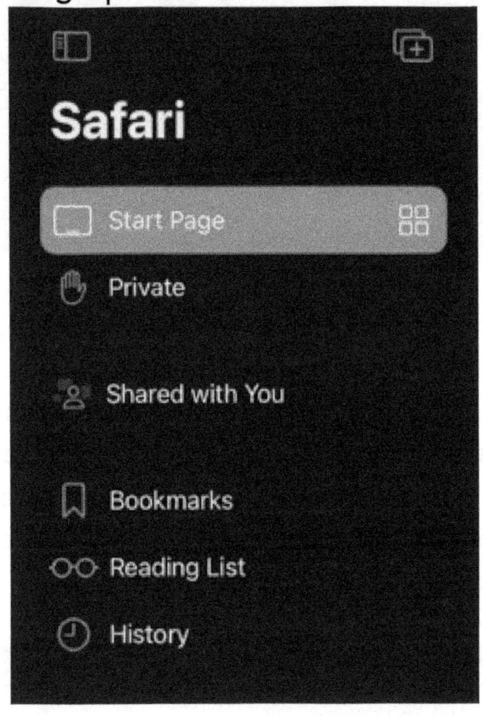

Mit Ihnen geteilt

Unter "Mit Ihnen geteilt" sehen Sie Dinge, die in letzter Zeit geteilt worden sind. Ein Beispiel: Meine Frau und ich tauschen viele Links per Text aus. Wenn sie einen sendet, werden sie hier automatisch angezeigt. Auf diese Weise muss ich nicht Dutzende von Texten durchsuchen, um die von ihr erwähnte Seite zu finden - sie ist bereits gespeichert.

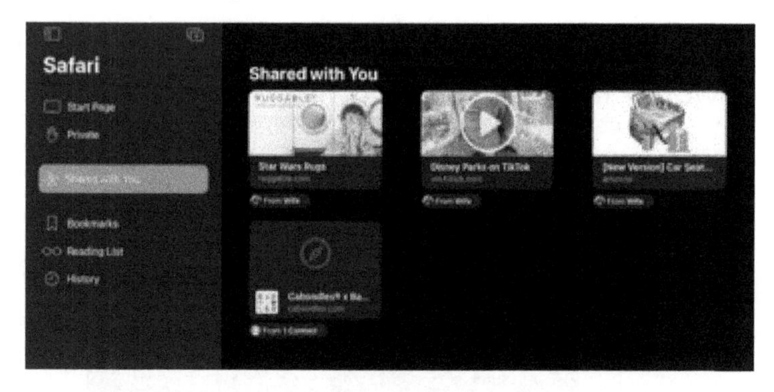

Wenn Sie den Link entfernen möchten, tippen Sie mit dem Finger auf die Seitenvorschau und halten Sie ihn gedrückt. Daraufhin werden mehrere Optionen angezeigt - eine davon ist Entfernen. Sie können hier auch die Optionen verwenden, um auf die Nachricht zu antworten, sie im Hintergrund zu öffnen oder den Link zu kopieren.

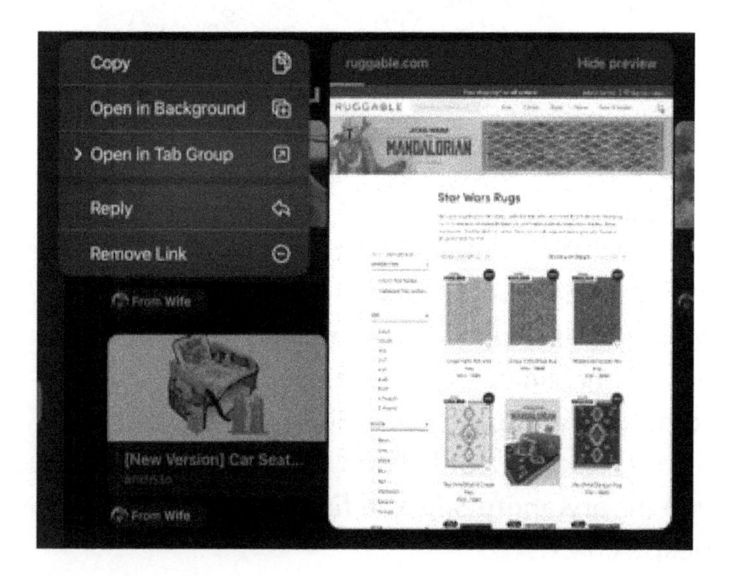

Safari-Lesezeichen

Unterhalb von "Mit Ihnen geteilt" befinden sich die Lesezeichen. Lesezeichen sind Seiten, die Sie speichern, weil Sie sie regelmäßig aufsuchen. Wenn Sie anfangen, viele Lesezeichen zu speichern, ist es eine gute Idee, sie in geordneten Ordnern abzulegen.

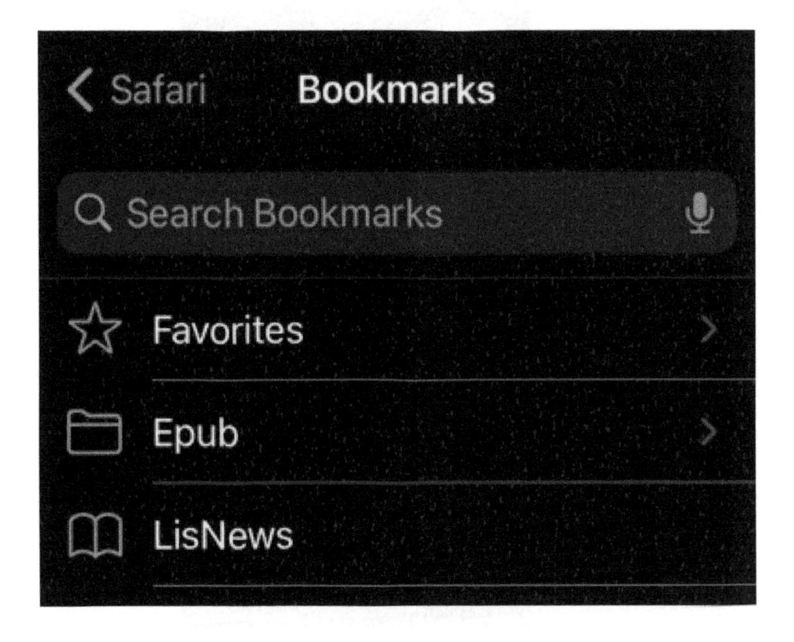

Um einen Ordner zu erstellen, gehen Sie einfach unten auf der Seite auf Bearbeiten und wählen Sie dann Neuer Ordner. Wenn Sie Bearbeiten gewählt haben, können Sie auch Lesezeichen löschen und in Ordner verschieben.

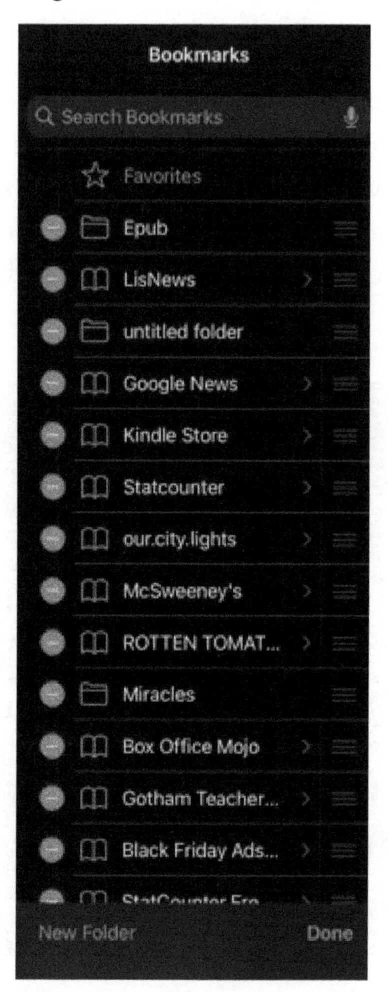

Sie können Ordner in Ordner einfügen, wenn Sie sie erstellen.

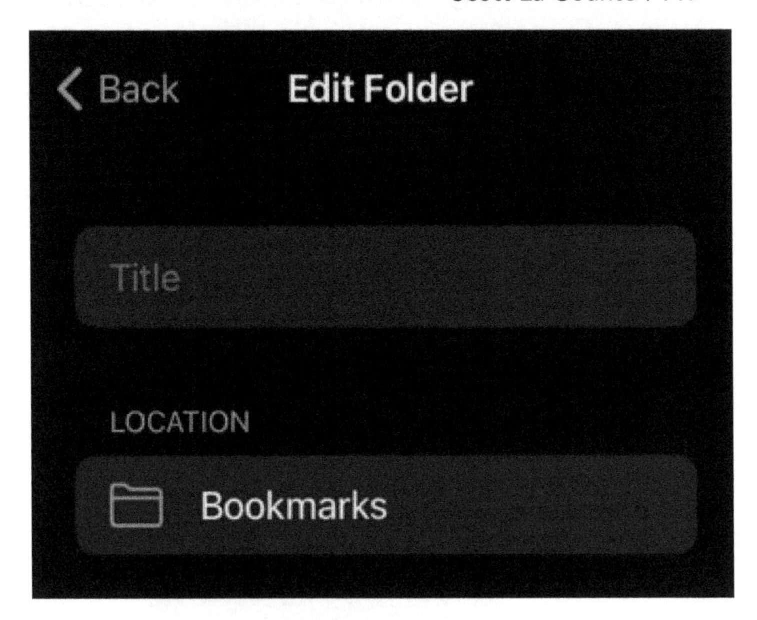

Web-Geschichte

Wenn Sie den privaten Modus nicht verwenden, wird Ihr gesamter Verlauf gespeichert. Das ist hilfreich, wenn Sie einmal eine Website vergessen haben, die Sie besucht haben, aber wissen, an welchem Tag Sie sie besucht haben. Wenn Sie Ihren Verlauf löschen möchten, tippen Sie einfach auf die Option "Löschen" unten auf der Seite, wenn Sie Ihren Verlauf anzeigen.

Registerkarte Gruppe

Tabs können Ihr bester Freund sein. Die Registerkartengruppe ist die Weiterentwicklung dieses Freundes. Tab-Gruppen sind eine Art Kombination aus Lesezeichen und Tabs. Im Grunde speichern Sie alle Ihre Registerkarten in einer Gruppe. So können Sie beispielsweise eine Gruppe mit dem Namen

"Einkaufen" anlegen, und wenn Sie darauf klicken, öffnen sich wie von Zauberhand alle Ihre Lieblings-Einkaufswebsites in Registerkarten.

Öffnen Sie zunächst alle Registerkarten, die zu Ihrer Gruppe gehören sollen, und klicken Sie dann im linken Menü auf die Schaltfläche "+" und wählen Sie "Neue leere Registerkartengruppe".

Geben Sie den Namen Ihrer Gruppe ein. Denken Sie daran, beschreibend zu sein, damit Sie wissen, wofür Ihre Registerkartengruppe gedacht ist.

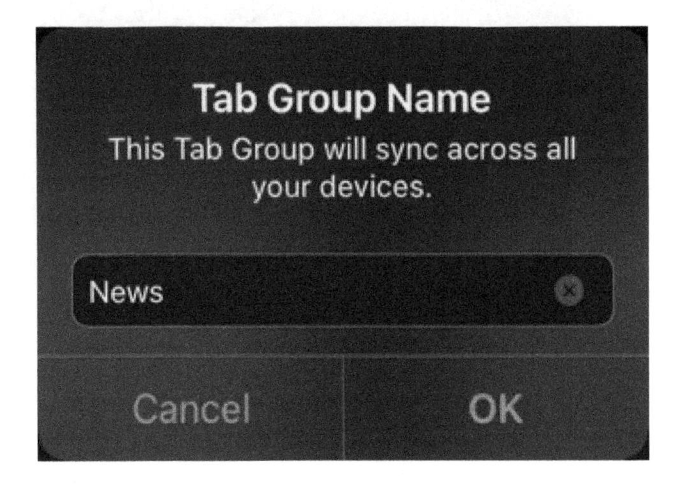

Alle Registerkarten werden nun in Ihrer Gruppe gespeichert; im folgenden Beispiel gibt es zwei

Registerkartengruppen; wenn ich zwischen ihnen umschalte, werden neue Registerkarten geöffnet.

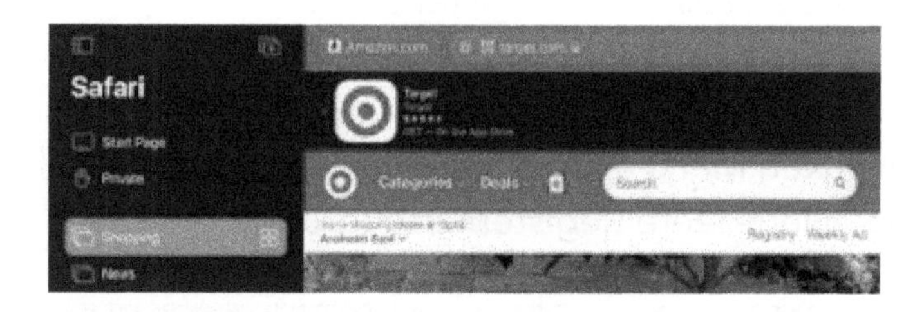

Sie können Änderungen an Ihrer Gruppe vornehmen, indem Sie sie antippen und gedrückt halten.

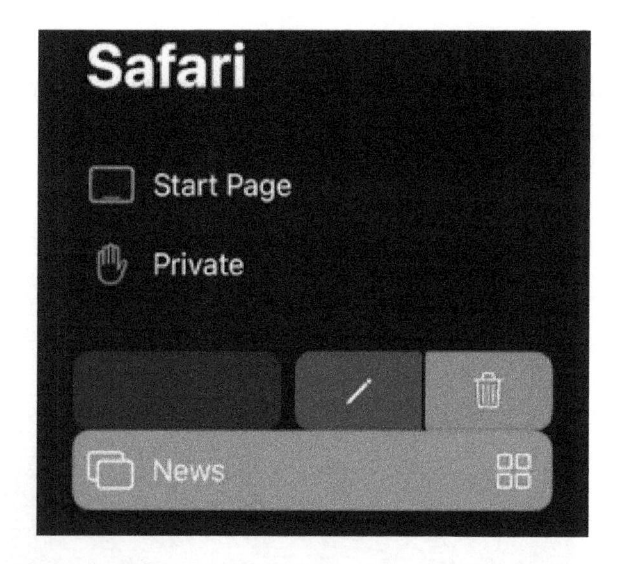

Wenn Sie möchten, dass eine neue Registerkarte dort angezeigt wird, öffnen Sie die Registerkarte einfach, während Sie sich in dieser Gruppe befinden, und sie wird automatisch in der Gruppe gespeichert.

Ihre Standard-E-Mail-Adresse festlegen / Web-Browser

Einige Jahre lang konnten Sie andere Mail- und Webbrowser in iOS verwenden, aber Sie konnten sie nicht als Standard festlegen. Das hat sich mit iOS 14 geändert... sozusagen. Sie können jetzt alternative Standardbrowser und E-Mail-Clients verwenden, aber die App muss aktualisiert werden.

Es liegt in der Verantwortung der Entwickler (nicht von Apple), die App zu aktualisieren, um die Vorteile dieser Funktion zu nutzen. Wenn Sie also versuchen, die Funktion mit den folgenden Schritten zu ändern, und Ihre bevorzugte App nicht angezeigt wird, liegt das wahrscheinlich daran, dass entweder die App noch nicht aktualisiert wurde oder Sie die App noch nicht aktualisiert haben (gehen Sie in den App Store und vergewissern Sie sich, dass es keine Aktualisierung für die App gibt).

Um Ihre bevorzugte App zu ändern, rufen Sie die App "Einstellungen" auf. Gehen Sie dann zu der App, die Sie zum Standard machen möchten (im Beispiel unten verwende ich den Chrome-Browser); tippen Sie dann auf Standardbrowser.

Zum Schluss kreuzen Sie Ihren bevorzugten Browser an. Er speichert automatisch.

ITUNES

Die iTunes App, die Sie auf Ihrem Startbildschirm finden, öffnet den größten digitalen Musikladen der Welt. Hier können Sie nicht nur Musik kaufen und herunterladen, sondern auch unzählige Filme, Fernsehsendungen Shows, Hörbücher und vieles mehr. Auf der iTunes-Startseite finden Sie auch eine Rubrik "What's Hot", Musiksammlungen und Neuerscheinungen.

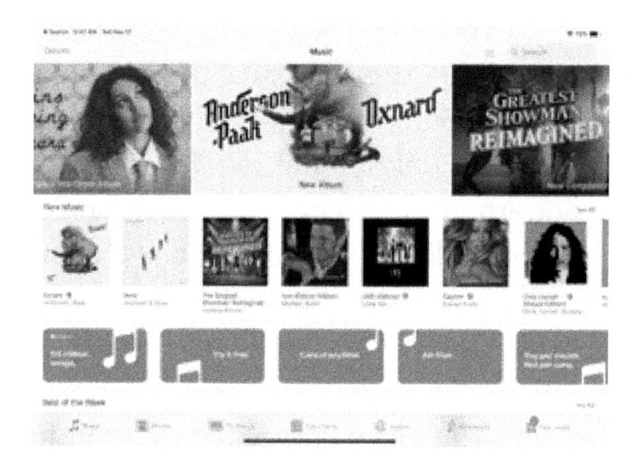

Oben sehen Sie die Option, entweder die vorgestellten Medien anzusehen oder die Top-Charts zu durchsuchen. In der oberen linken Ecke befindet sich die Schaltfläche "Genres". Wenn Sie auf "Genres" klicken, werden viele verschiedene Arten von Musik angezeigt, um Ihre Suche zu verfeinern.

Feature Alert: Wenn Sie einen Songtext in iTunes, werden jetzt Ergebnisse angezeigt.

Apple Musik

Apple Musik ist ein relativ neuer Dienst von Apple, der Ihnen die Möglichkeit bietet, den gesamten iTunes Store zu streamen und von Musikexperten kuratierte Wiedergabelisten zu erhalten, die auf Ihre Vorlieben zugeschnitten sind. Er kostet 9,99 $ pro Monat, aber Sie können die Vorteile der dreimonatigen kostenlosen Testversion nutzen, um herauszufinden, ob dieser Dienst etwas für Sie ist, bevor Sie dafür bezahlen. Außerdem gibt es vergünstigte Abonnementpreise für Familien und Studenten.

Apps kaufen

Wie kauft man also Apps, lädt sie herunter und entfernt sie wieder? Darauf werde ich in diesem Abschnitt eingehen.

Um Apps zu kaufen, und damit meine ich nicht, dass Sie für sie bezahlen müssen, denn Sie können eine kostenlose App kaufen, ohne dafür zu bezahlen, gehen Sie wie folgt vor:

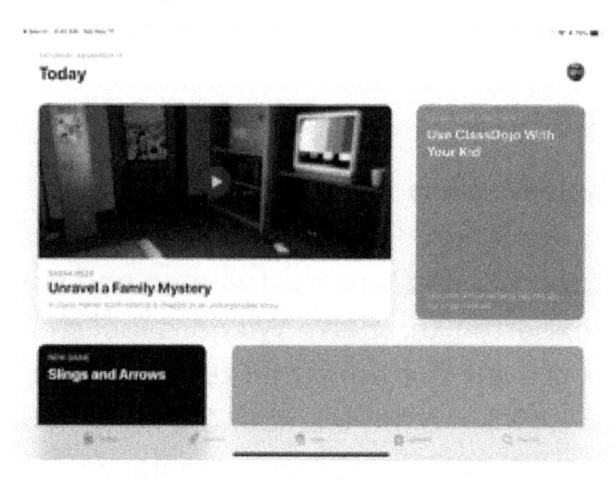

Das erste, was Sie sehen, wenn Sie den App Store öffnen sind die vorgestellten Apps. Das heißt, Spiele, viele, viele Spiele! Spiele sind die meistverkaufte Kategorie im App Store, aber keine Sorge, es gibt dort mehr als nur Spiele. Später in diesem Handbuch werde ich Ihnen einige der wichtigsten Apps vorstellen, die Sie sich zulegen sollten, aber jetzt wollen wir erst einmal sehen, wie der App Store funktioniert, damit Sie einige davon selbst entdecken können.

Wenn Sie von einer neuen App hören und sie ausprobieren möchten, verwenden Sie die Suchoption.

Search

Wenn Sie eine App gefunden haben, die Sie kaufen möchten, tippen Sie einfach auf die Schaltfläche Preis und geben Sie Ihr App Store Kennwort ein. Denken Sie daran: Nur weil eine App kostenlos heruntergeladen werden kann, heißt das nicht, dass Sie für ihre Nutzung nichts bezahlen müssen. Viele Apps verwenden "In-App-Käufe", was bedeutet, dass Sie innerhalb der App etwas kaufen müssen. Sie werden jedoch benachrichtigt, bevor Sie etwas kaufen.

Für Apps gibt es ständig neue Updates, z. B. neue, bessere Funktionen. Aktualisierungen sind fast immer kostenlos, sofern nicht anders angegeben, und lassen sich leicht installieren. Klicken Sie einfach auf die letzte Registerkarte: Aktualisierungen. Wenn Sie eine App haben, die aktualisiert werden muss, sehen Sie sie hier. Außerdem sehen Sie, was es in der App Neues gibt. Wenn Sie etwas sehen, tippen Sie auf Aktualisieren, um die Aktualisierung zu starten.

Wenn Sie eine App gekauft haben, sie aber versehentlich gelöscht haben oder es sich anders überlegt haben, dann ist das kein Problem! Sie können die App an der gleichen Stelle, an der Sie die Updates sehen, erneut herunterladen. Tippen Sie einfach auf "Gekauft".

Wenn Sie auf die Schaltfläche "Gekauft" tippen, sehen Sie zwei Optionen: eine, um alle gekauften Apps anzuzeigen, und eine, um nur die Apps anzuzeigen, die Sie gekauft haben, die aber nicht auf Ihrem iPad mini sind. Tippe auf die Option "Nicht auf diesem iPad", um alle Apps erneut herunterzuladen, und zwar kostenlos. Tipp einfach auf die Schaltfläche "Cloud" rechts auf dem Bildschirm. Du kannst die App sogar erneut herunterladen, wenn du sie auf einem anderen iPad gekauft hast, solange es sich um denselben Account handelt.

Das Löschen von Apps ist ganz einfach: Tippen Sie auf der Startseite auf das Symbol der zu löschenden App, halten Sie es gedrückt und tippen Sie dann auf das "x" oben auf der App.

KALENDER

Unter den anderen vorinstallierten Apps, die Sie mit Ihrem neuen iPad mini erhalten haben, ist der Kalender vielleicht eine der meistgenutzten Apps, die Sie finden werden.. Du kannst zwischen der Anzeige von Terminen, Aufgaben oder einer Tages-, Wochen- oder Monatsansicht wechseln.

Kombinieren Sie Ihren Kalender mit E-Mail-Konten oder iCloud um deine Termine und Aufgaben auf all deinen Geräten zu synchronisieren und keinen Termin mehr zu verpassen.

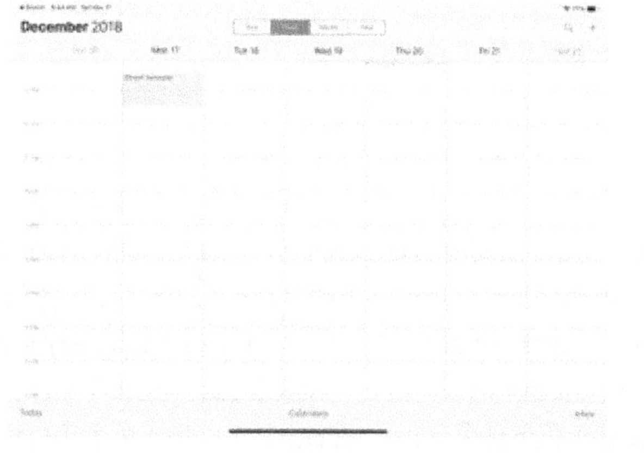

Erstellen eines Termins

Um einen Termin zu erstellen, klicken Sie auf das Symbol Kalender auf Ihrem Startbildschirm. Klicken Sie auf den Tag, für den Sie den Termin festlegen möchten, und tippen Sie dann auf die Schaltfläche "+" in der Ecke. Hier können Sie Ihren Termin benennen und bearbeiten und ihn mit einem E-Mail- oder iCloud Konto verbinden, um eine Synchronisierung zu ermöglichen.

Achten Sie bei der Bearbeitung Ihrer Veranstaltung besonders auf die Dauer der Veranstaltung. Wählen Sie die Anfangs- und Endzeit aus oder wählen Sie "Ganzer Tag", wenn es sich um eine ganztägige Veranstaltung handelt. Sie haben auch die Möglichkeit, den Termin als wiederkehrendes Ereignis einzustellen, indem Sie auf "Wiederholen" klicken und auswählen, wie oft er wiederholt werden soll. Im Falle einer Rechnung oder einer Autozahlung könnten Sie zum Beispiel entweder Monatlich (an diesem Tag) oder alle 30 Tage auswählen, was zwei verschiedene Möglichkeiten sind. Nachdem Sie die Wiederholung ausgewählt haben, können Sie auch festlegen, wie lange sich das Ereignis wiederholen soll: nur einen Monat lang, ein Jahr lang, für immer und alles dazwischen.

Karten

Die Karten App ist zurück und besser als je zuvor. Nachdem sich Apple vor einigen Jahren von Google Maps getrennt hatte, beschloss das Unternehmen, ein eigenes Karten- und Navigationssystem zu entwickeln, das speziell auf das iPad zugeschnitten ist. Das Ergebnis ist ein wunderschöner Reiseführer, der die Vorteile der neuesten iPad mini Auflösungen voll ausnutzt. Im Vollbildmodus kann jede Ecke des Tablets mit der App ausgefüllt werden, und es gibt einen automatischen Nachtmodus. Sie können jederzeit nach Orten, Restaurants, Tankstellen, Konzerthallen und anderen Veranstaltungsorten in Ihrer Nähe suchen, und die Turn-by-Turn-Navigation ist für das Gehen, Radfahren, Fahren oder Pendeln verfügbar. Der Verkehr wird in Echtzeit aktualisiert. Wenn sich also vor Ihnen ein Unfall ereignet oder eine Baustelle im Gange ist, bietet Maps eine schnellere Alternative und warnt Sie vor einem möglichen Stau.

Die Turn-by-Turn-Navigation ist leicht zu verstehen, ohne abzulenken, und die 3D-Ansicht macht potenziell schwierige Szenarien (wie Autobahnausfahrten, die plötzlich auftauchen) viel angenehmer. Eine weitere praktische Funktion ist die Möglichkeit, Autobahnen und mautpflichtige Straßen ganz zu vermeiden.

Um die Navigation einzurichten, tippen Sie auf das Symbol Karten Symbol. Am unteren Rand des Bildschirms befindet sich eine Suchfunktion für Orte oder Adressen; für Privathäuser benötigen Sie eine Adresse, für Unternehmen jedoch nur einen Namen. Klicken Sie darauf und geben Sie Ihr Ziel ein, sobald Sie dazu aufgefordert werden.

Wenn Sie die Adresse Ihres Ziels gefunden haben, klicken Sie auf Route und wählen Sie zwischen einer Wegbeschreibung zu Fuß oder mit dem Auto. Bei Unternehmen haben Sie auch die Möglichkeit, Bewertungen zu lesen und das Unternehmen direkt anzurufen.

Für die freihändige Navigation sagen Sie einfach "Hey Siri" und sagen Sie "Navigieren zu" oder "Bring mich zu", gefolgt von der Adresse oder dem Namen des Ortes, zu dem Sie fahren möchten.

Wenn Sie Autobahnen oder Mautgebühren vermeiden möchten, tippen Sie einfach auf die Schaltfläche Weitere Optionen und wählen Sie die gewünschte Option aus.

Apple Karten können Sie auch eine 3D-Ansicht von Tausenden von Orten sehen. Um diese Option zu aktivieren, tippen Sie auf das "i" in der oberen rechten Ecke. Wählen Sie anschließend die Satellitenansicht.

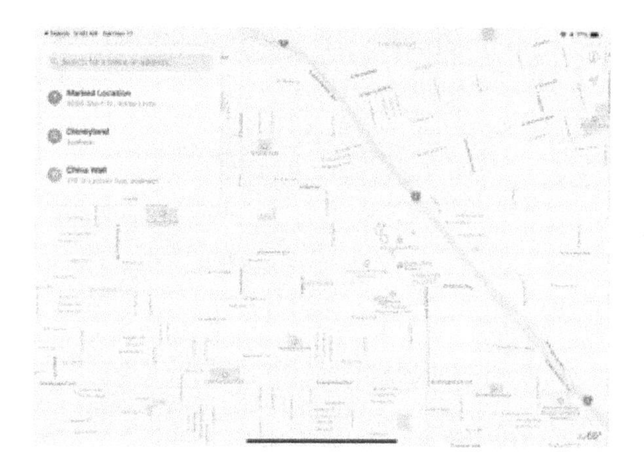

Wenn die 3D-Ansicht verfügbar ist, werden Sie sofort eine Veränderung feststellen. Mit zwei Fingern können Sie Ihre Karte mehr oder weniger flach machen. Sie können auch 2D wählen, um 3D ganz zu entfernen.

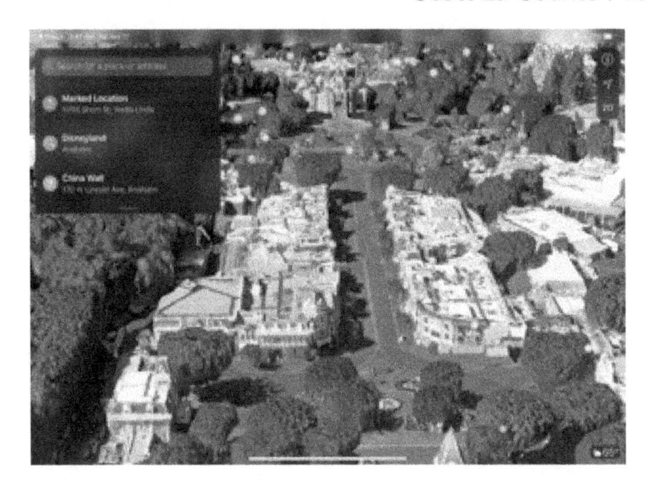

Maps hat große Schritte unternommen, um mit Google zu konkurrieren. 2019 wurde eine Ansicht auf Straßenebene für Großstädte wie New York und Los Angeles hinzugefügt, weitere sollen bald folgen. Wenn Sie auf einen Ort tippen und ihn gedrückt halten, wird er möglicherweise als verfügbare Ansicht angezeigt (wenn Sie ihn nicht sehen, befindet er sich noch nicht in dieser Stadt).

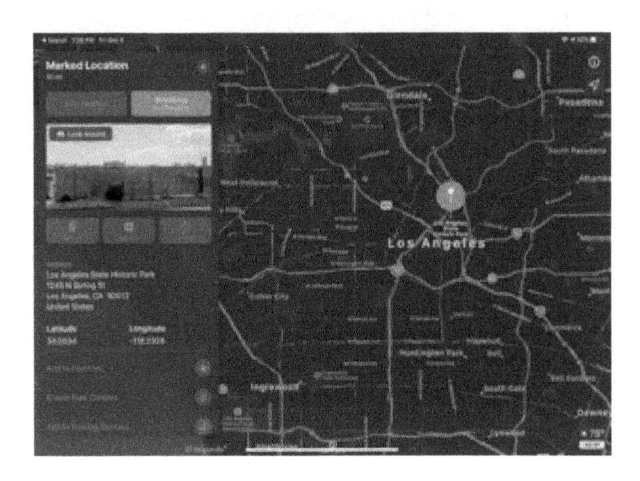

Wenn Sie auf die Ansicht tippen, wird sie größer.

Ähnlich wie bei der iPhone-Version von Mapskönnen Sie auf dem iPad Orte zu Sammlungen hinzufügen, damit Sie alle Ihre Lieblingsorte organisieren können.

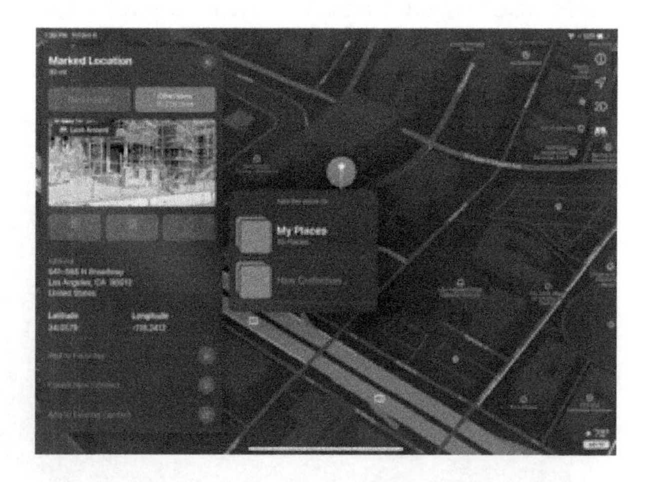

Maps hat mit iPadOS und iOS 15 ein kleines Upgrade erhalten, funktioniert aber immer noch weitgehend gleich.

Der größte Unterschied zum OS 15-Update besteht darin, dass die Gebäude jetzt mehr Form haben. In dem Beispiel eines Vergnügungsparks unten sehen Sie die Form des Schlosses und des Berges. Dies ist nur in einigen Regionen verfügbar.

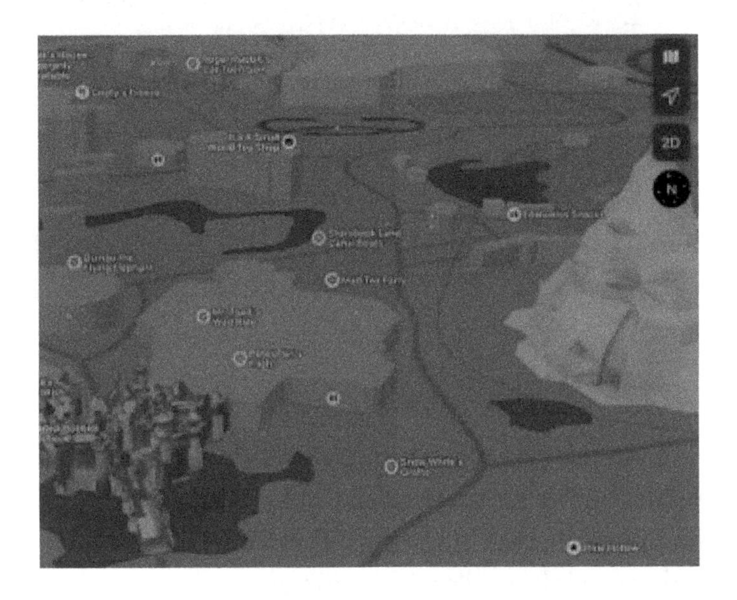

Einige, aber nicht alle, Städte haben auch mehr Fahrspuren auf der Straße. Wenn die Stadt konfiguriert wurde, können Sie mehr Details zu den Fahrspuren sehen, um sich in der Stadt zurechtzufinden und zu wissen, welche Fahrspuren Sie benutzen müssen. Wenn Sie dieses Detail nicht sehen, liegt das daran, dass die Stadt noch nicht eingerichtet wurde.

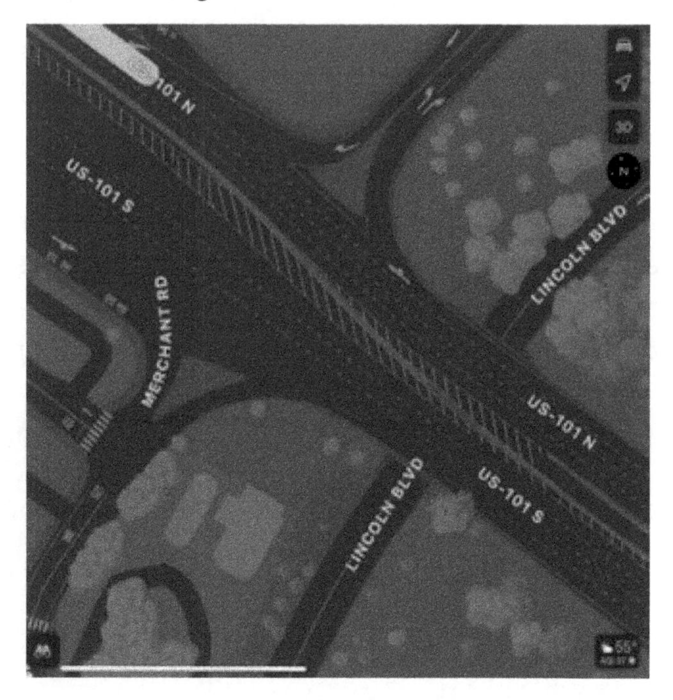

Karten (mehrere Haltestellen)

Eine Wegbeschreibung ist schön, aber wahrscheinlich möchten Sie unterwegs oft ein paar Stopps einlegen. In diesem Fall können Sie mehrere Haltestellen hinzufügen.

Nehmen wir an, ich möchte herausfinden, wie ich mein Kind von meinem Aufenthaltsort aus zu einem Vergnügungspark bringen kann. Ich gebe den Namen des Parks ein und tippe dann auf "Wegbeschreibung".

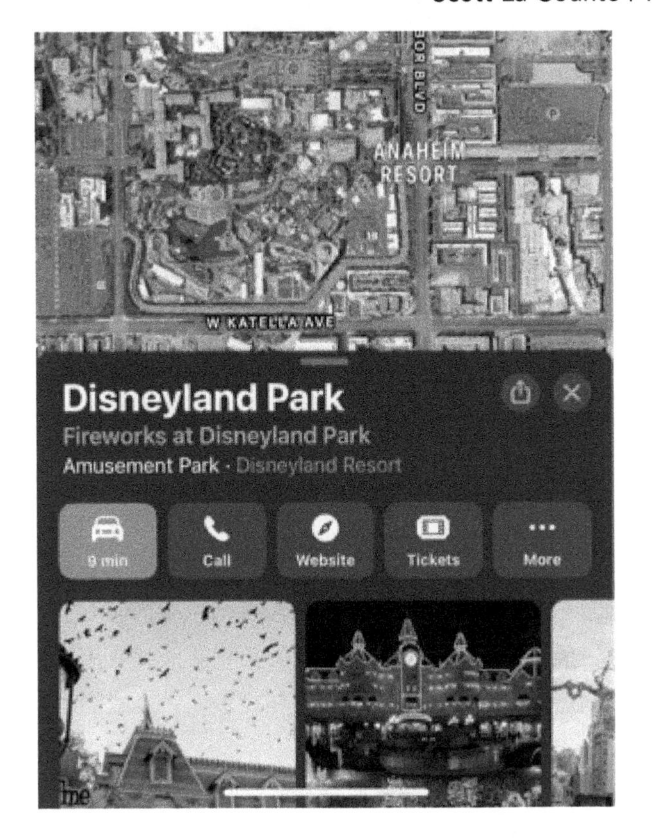

Leicht, einfach, richtig! Aber, oh, nein! Ich bin gerade ins Auto gestiegen und habe kein Benzin mehr! Mit Karten ist das kein Problem. Ich tippe einfach auf die Schaltfläche Haltestelle hinzufügen.

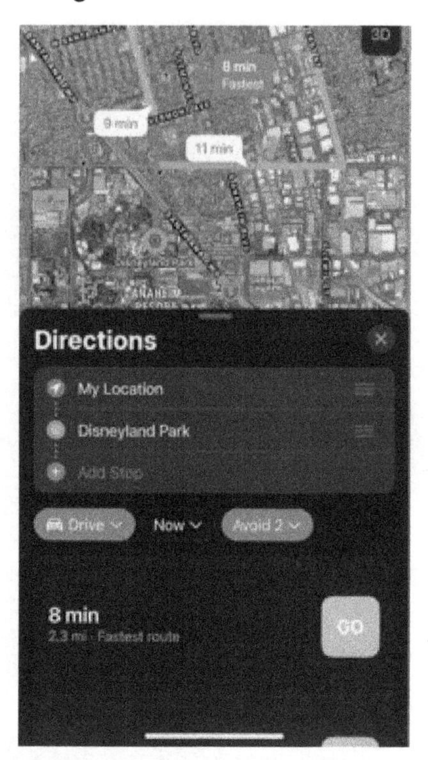

Als Nächstes gebe ich die Adresse ein, oder, in diesem Fall, einfach "Gas". Daraufhin werden mir alle Tankstellen in der Nähe angezeigt. Wenn ich die gewünschte Tankstelle sehe, tippe ich einfach auf "Hinzufügen".

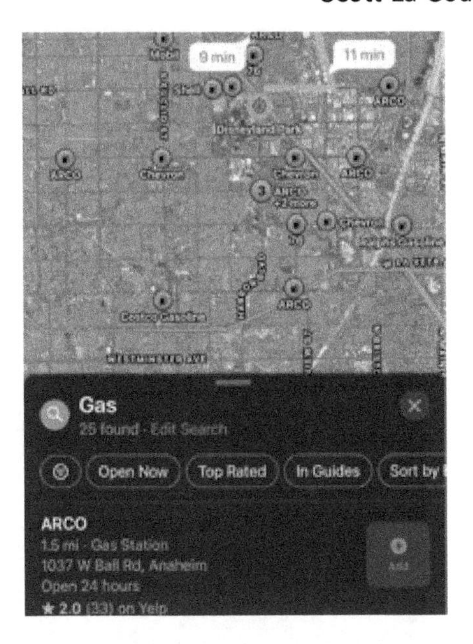

Jetzt wurde die Haltestelle in die Wegbeschreibung eingefügt - allerdings mit einer Einschränkung: Sie wurde am Ende eingefügt. Sie können die Reihenfolge der Haltestellen jedoch ganz einfach verschieben, indem Sie auf die drei Linien rechts von der Haltestelle tippen und sie dann nach oben oder unten in die von Ihnen gewünschte Reihenfolge ziehen.

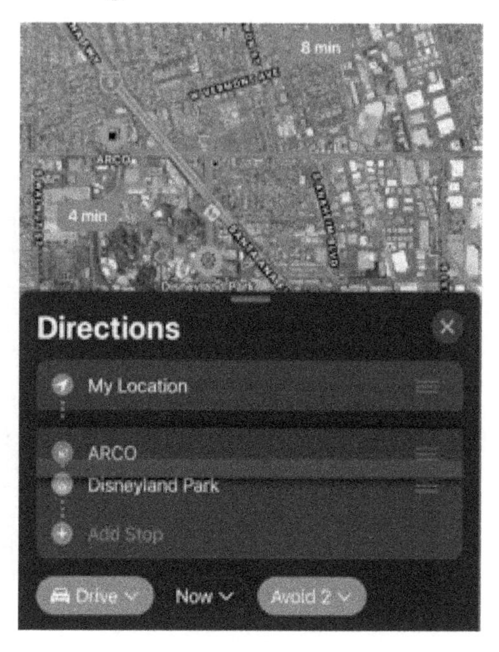

Was ist, wenn die Kinder auch sagen, dass sie hungrig sind?! Sie wollen doch nicht die Preise eines Vergnügungsparks für ein Frühstück bezahlen, oder?! Tippen Sie einfach erneut auf Haltestelle hinzufügen. Jetzt habe ich eine Karte, die mich zum Donut-Laden, zu einer Tankstelle und schließlich zum Vergnügungspark führt.

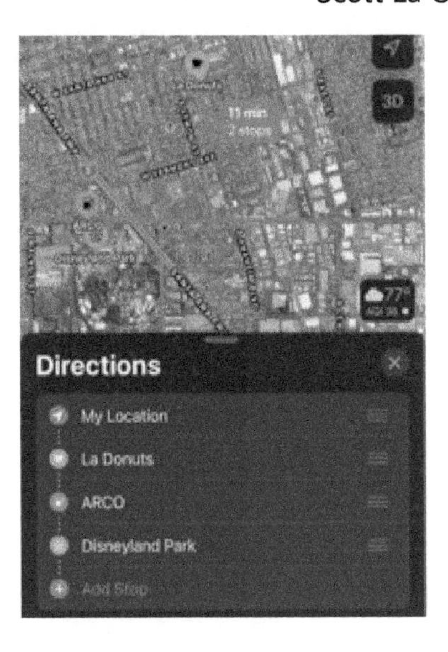

Karten-Führer

Map Guides sind nur in größeren Städten verfügbar. Wenn Sie in der Karten-App nach einer Stadt suchen, sehen Sie die Reiseführer direkt unter der Schaltfläche "Wegbeschreibung". Sie können den Leitfaden auch teilen oder speichern.

Während Sie sich die Reiseführer ansehen, werden Ihnen Empfehlungen auf der Karte angezeigt, die Sie für später speichern können.

Finden Sie meine

Wenn Sie Find My Phone oder Find My Friend auf früheren Betriebssystemen verwendet haben, dann Schock: Sie sind verschwunden! Mit diesen beiden leistungsstarken Apps können Sie auf einer

Karte sehen, wo Ihre Freunde sind oder wo sich Ihre Geräte befinden.

Sie sind im Wesentlichen die gleiche App mit einem anderen Zweck. Anstatt beide zu behalten, hat Apple beschlossen, sie zu löschen und in einer App namens Find My.

Die App ist ziemlich einfach. Drei Registerkarten am unteren Rand. Eine, um deine Freunde zu find-en (z. B. Leute), eine, um deine Geräte zu finden, und eine, um Einstellungen zu ändern (z. B. Ich).

Wenn Sie sehen möchten, wo sich Ihr Freund aufhält, bitten Sie ihn, Ihnen seinen Standort im Bereich Personen mitzuteilen.

Es ist nicht sehr hilfreich, eine App zu verwen-den, um dein iPad zu finden, wenn du dein iPad nicht hast. In diesem Fall kannst du es auch mit dem Browser deines Computers unter iCloud.com.

Kurz notiert

Quick Notes ist eine sehr einfach zu bedienende Funktion, um Notizen zu machen. Wie einfach?

Wischen Sie von der unteren rechten Ecke Ihres Bildschirms nach oben. Das war's!

Nun, das ist es in etwa - Sie müssen beim ersten Versuch auf eine Schaltfläche "Start" klicken.

Nach dem ersten Öffnen wird immer eine Pop-up-Notiz angezeigt, wenn Sie von der unteren rechten Ecke nach oben wischen. Sie schwebt über anderen Fenstern, sodass Sie Notizen machen können, während Sie auf einer Website oder in einer anderen App sind. Sobald Sie die Notiz geschrieben haben, tippen Sie auf die Schaltfläche "Fertig" in der oberen linken Ecke der geöffneten Notiz. Sie wird dann automatisch gespeichert und synchronisiert.

Anmerkungen

Die Notizen App war schon immer die erste Wahl, wenn es darum ging, schnelle und einfache Notizen zu machen - wie Word oder Pages, aber ohne den ganzen Schnickschnack. In iPadOS ist Notizen immer noch einfach, aber es ist viel schicker geworden... während die Einfachheit beibehalten wurde, die die Leute an der App lieben.

Auf den ersten Blick sieht Notes sieht im Grunde genauso aus wie immer. Sehen Sie das kleine Pluszeichen über der Tastatur? Das ist es, was anders ist.

Tippen Sie einmal auf die Schaltfläche "+", und Sie sehen die hinzugefügten Optionen.

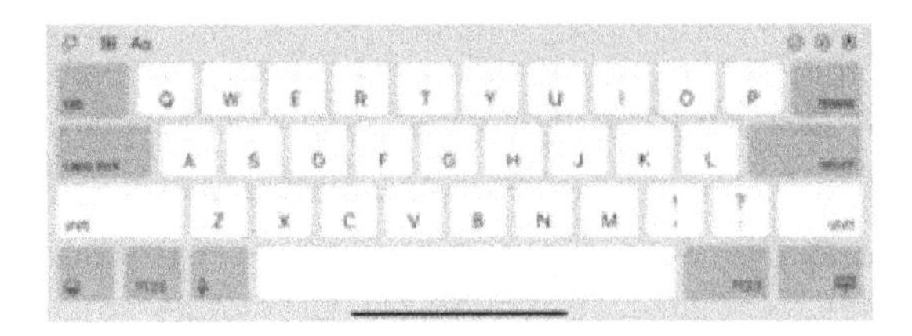

Auf der linken Seite befindet sich zunächst ein Häkchen, das Sie drücken, wenn Sie eine Checkliste statt einer Notiz erstellen möchten. Für jedes neue Häkchen tippen Sie einfach auf die Return-Taste auf der Tastatur.

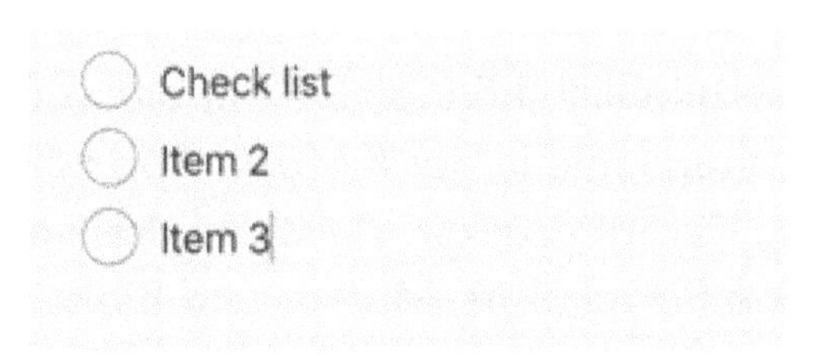

Die Schaltfläche "Aa" drücken Sie, wenn Sie die Notiz ein wenig formatieren möchten (größere Schrift, Fettdruck, Aufzählungszeichen usw.).

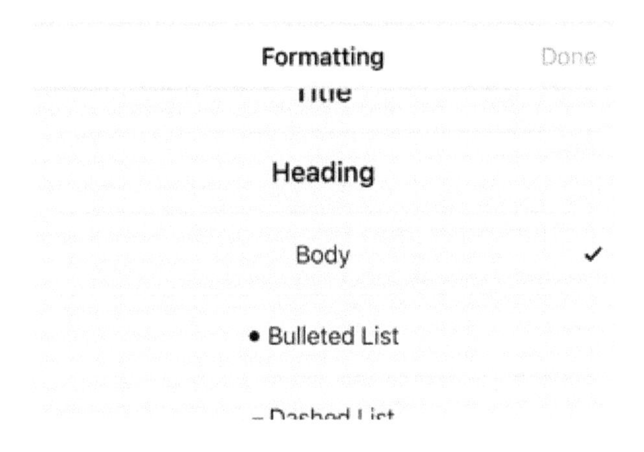

Mit der kleinen Kamerataste können Sie ein selbst aufgenommenes Foto hinzufügen oder ein Foto aus der App heraus aufnehmen und einfügen.

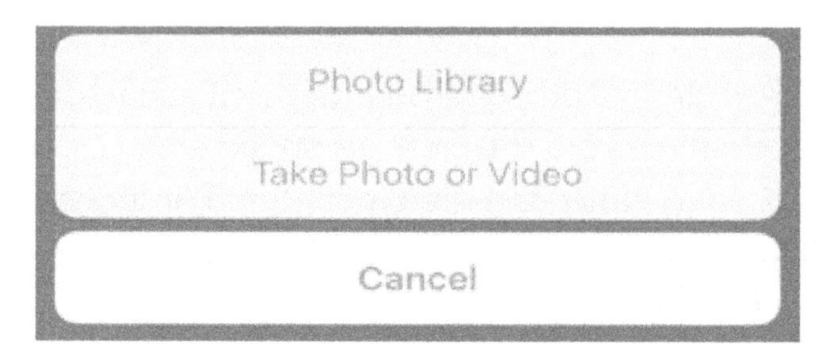

Und schließlich können Sie mit der verschnörkelten Linie in der Notizen App zeichnen. Wenn du darauf drückst, siehst du drei verschiedene Pinsel (Stift, Marker und Bleistift), die jeweils ein wenig anders funktionieren, sowie ein Lineal und einen Radiergummi.

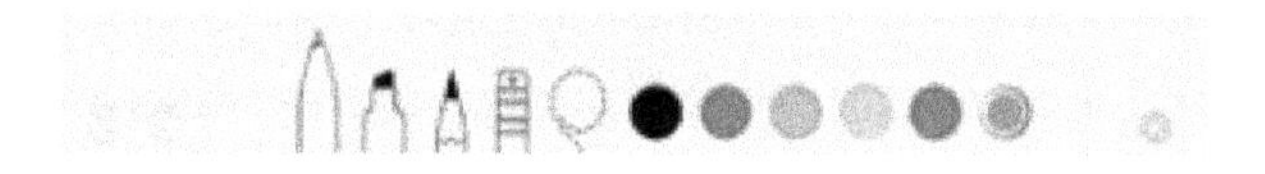

Außerdem gibt es einen runden schwarzen Kreis, mit dem Sie die Farbe des Pinsels ändern können.

Tippen Sie einfach auf die Schaltfläche "Fertig" in der oberen rechten Ecke, sobald Sie Ihre Farbe ausgewählt haben, und sie wird geändert.

Wenn Sie auf die Schaltfläche Fertig tippen, nachdem Sie Ihre Zeichnung beendet haben, kehren Sie zur Notiz zurück. Wenn Sie jedoch auf die Zeichnung tippen, wird sie wieder aktiviert und Sie können Änderungen vornehmen oder Ihrer Zeichnung etwas hinzufügen.

Es ist natürlich nicht die fortschrittlichste Zeichen-App - aber das ist der Punkt - sie soll es nicht sein. Wie der Name der App schon sagt, ist diese App nur zum Notieren oder Zeichnen schneller Notizen gedacht.

Im Menü "Einstellungen" wurde oben eine Suchoption hinzugefügt. Es gibt eine Menge Einstellungen in iOS und mit jedem Update werden es mehr. Mit den Sucheinstellungen können Sie schnell auf die gewünschte Einstellung zugreifen. Wenn Sie zum Beispiel keine Benachrichtigungen mehr für eine bestimmte App erhalten möchten, müssen Sie nicht mehr endlos durch die Apps blättern, sondern einfach danach suchen.

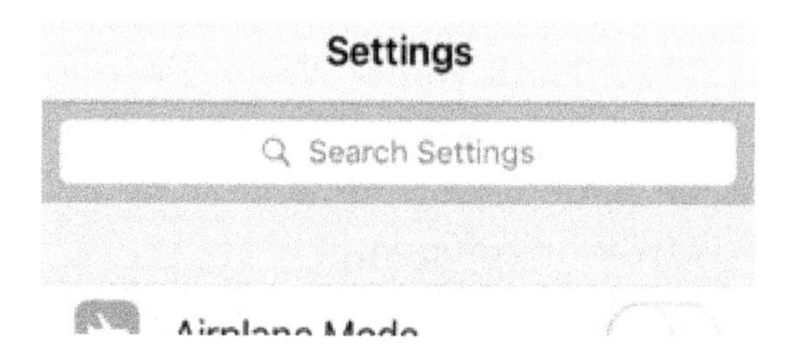

Notizen wurde auch zu Safari hinzugefügtWenn Sie also einer Notiz eine Website hinzufügen möchten, ist dies jetzt möglich.

Immer wenn Sie die Option "Markup" sehen, verwenden Sie die Notes Schnittstelle.

TEXT IN DER APP SUCHEN

Wenn Sie von der Mitte des Bildschirms nach unten wischen, können Sie schnell nach Apps suchen, was hilfreich ist, wenn Sie viele davon haben. Sie können auch nach Text innerhalb von Apps suchen, indem Sie nach unten zum Abschnitt "In Apps suchen" scrollen.

Universelle Steuerung

Manche Menschen investieren gerne in das Apple-Ökosystem - und wer kann es ihnen verdenken? Das Unternehmen stellt großartige Produkte her. So haben sie vielleicht einen iMac, ein MacBook und ein iPad. Apple hat Verständnis für diese Benutzer und hat eine Funktion namens Universal Control entwickelt. Mit Universal Control können Sie Dinge (von Dateien und Bildern bis hin zu Tastaturen und Trackpads) ganz einfach gemeinsam nutzen. Was bedeutet das? Nehmen wir an, Sie haben ein MacBook und ein iPad Mini. Wenn diese Funktion aktiviert ist, können Sie Pages auf Ihrem iPad öffnen und ein Bild von Ihrem MacBook auf Ihr iPad Mini ziehen. Du kannst auch das Trackpad und die Tastatur deines MacBook mit deinem iPad gemeinsam nutzen.

Die Verwendung ist ziemlich einfach. Legen Sie Ihr iPad neben Ihr MacBook und stellen Sie sicher, dass sie sich im selben WLAN befinden und Bluetooth aktiviert ist. Oder verbinden Sie das iPad über USB-C mit dem MacBook und ziehen Sie Ihre Maus an den Rand des Bildschirms, um sie auf den iPad-Bildschirm zu bewegen. Das ist alles ziemlich intuitiv. Auf beiden Geräten muss außerdem die neueste Version von MacOS (OS Monterey) und iPadOS (OS15) installiert sein. Wenn Sie dieses Buch zum Zeitpunkt der Veröffentlichung lesen, ist das eine schlechte Nachricht für Sie, denn MacOS Monterey ist zum Zeitpunkt der Erstellung dieses Buches noch nicht auf dem Markt. Möglicherweise wird es auch nicht mit der ersten Betriebssystemaktualisierung eingeführt. Es wird für den Herbst erwartet.

Wenn Sie sich darauf vorbereiten wollen, müssen Sie nur ein paar Dinge einrichten. Gehen Sie zunächst auf Ihrem MacBook oder iMac in das Apple-Menü in der oberen linken Ecke, wählen Sie dann Systemeinstellungen und schließlich Allgemein. Aktivieren Sie im Menü "Allgemein" das Kontrollkästchen "Handoff zwischen diesem Mac und Ihren iCloud-Geräten zulassen". Gehen Sie auf Ihrem iPad in die App "Einstellungen" und dann auf "Allgemein" und schalten Sie AirPlay & Handoff ein, falls es ausgeschaltet ist.

Schwerpunkt

Die Funktion "Nicht stören" gibt es schon seit mehreren Updates für iPads, aber Focus ist eine neue Funktion. Die Funktionsweise von Focus ist der von "Nicht stören" sehr ähnlich, lässt sich aber besser anpassen. Die Idee ist, verschiedene Focus-Gruppen zu erstellen, z. B. können Sie es auf "Arbeit" einstellen und nur Kollegen können Sie erreichen, keine Freunde.

Um eine Focus-Sitzung zu starten oder zu erstellen, wischen Sie von der oberen rechten Ecke nach unten. Dadurch wird das Bedienfeld angezeigt; tippen Sie auf die Option Fokus.

Sie werden gefragt, welche Art von Fokus Sie erstellen möchten. Wenn Sie noch nie einen Fokus erstellt haben, tippen Sie auf den Typ, den Sie erstellen möchten, oder klicken Sie auf + Neuer Fokus, um einen benutzerdefinierten Fokus zu erstellen.

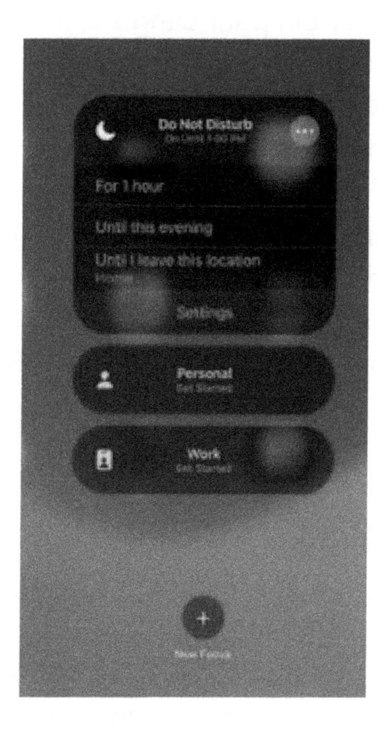

Wenn Sie einen neuen Fokus erstellen, erhalten Sie einige Vorschläge für Arten von Fokusgruppen, die Sie erstellen können.

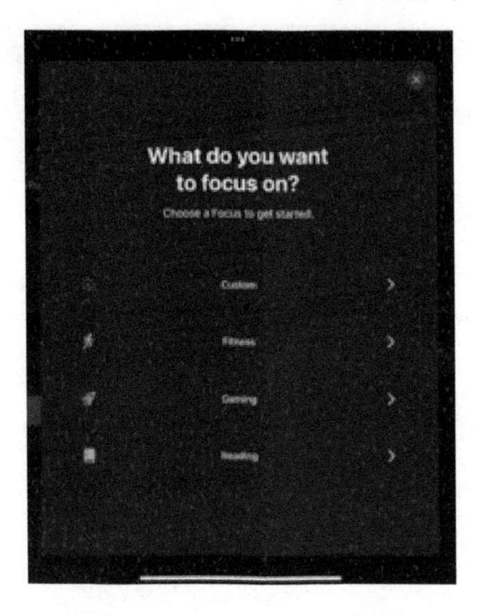

Wenn Sie auf einen der Pfeile klicken, können Sie festlegen, wer Sie kontaktieren darf, welche Art von Apps erlaubt sind und sogar die Zeiten, zu denen sie automatisch eingeschaltet werden sollen. Sie können zum Beispiel festlegen, dass der Lesefokus jeden Abend um 22:00 Uhr eingeschaltet wird.

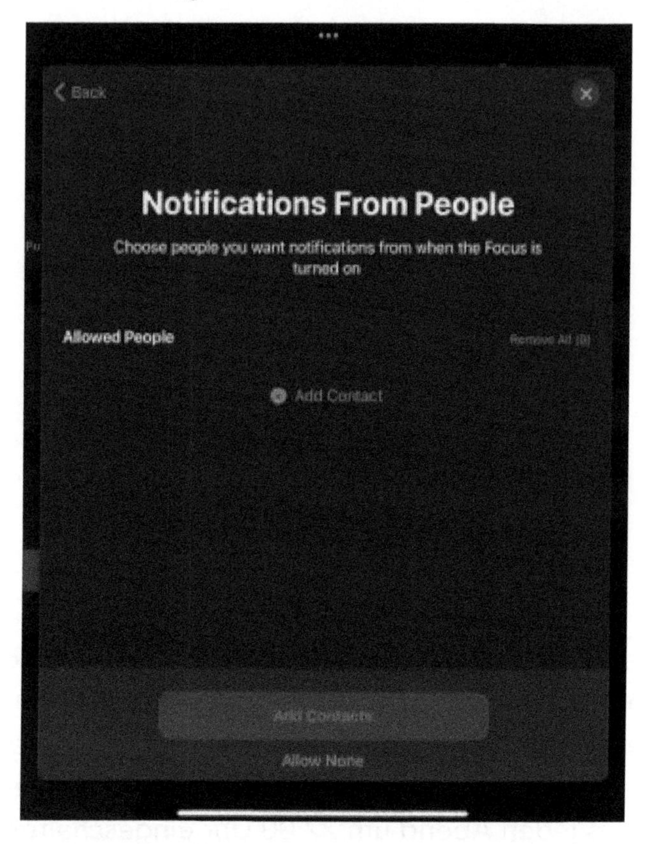

Der benutzerdefinierte Fokus funktioniert auf die gleiche Weise, aber Sie müssen ihm einen Namen und ein Symbol geben.

Sie können Ihre Systemeinstellungen jederzeit aufrufen, um Ihre Fokusgruppen zu bearbeiten.

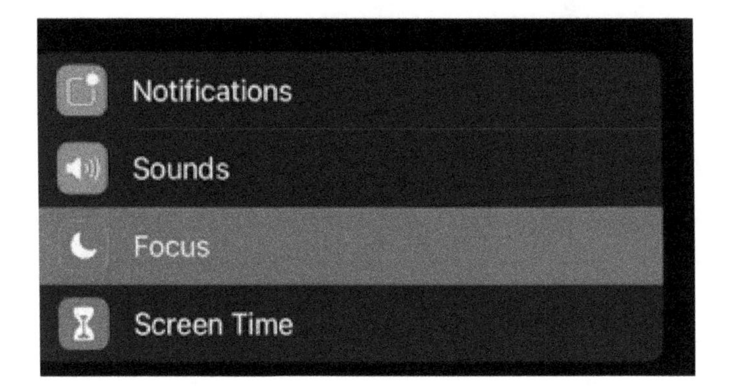

Im Bearbeitungsmenü können Sie einstellen, wann es aktiv ist, welche Personen Sie kontaktieren können und welche Apps aktiviert sind.

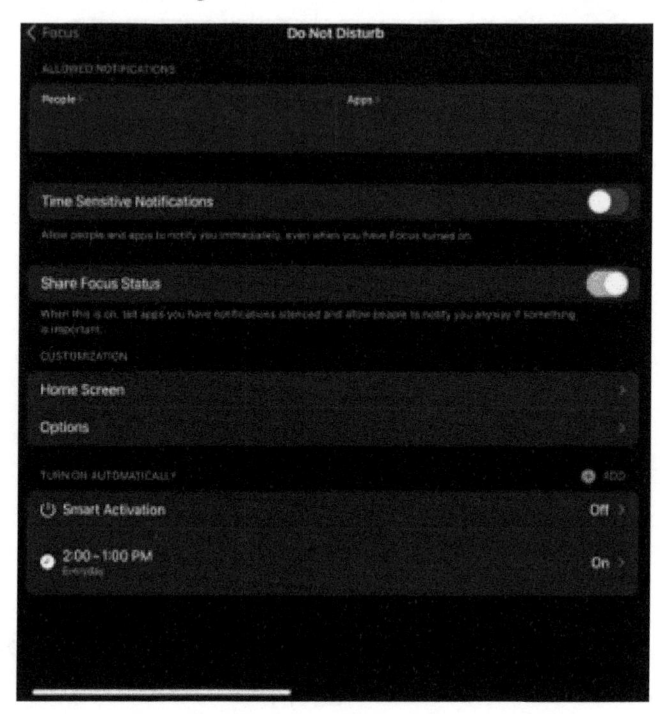

Wetter-App

Die Wetter-App gibt es schon seit Jahren, aber mit iPadOS 16 hat sie einige große Verbesserungen erfahren. Es ist nicht mehr nur eine App, um das Wetter abzurufen. Es ist eine App, mit der man genaue Details über das Wetter erfährt.

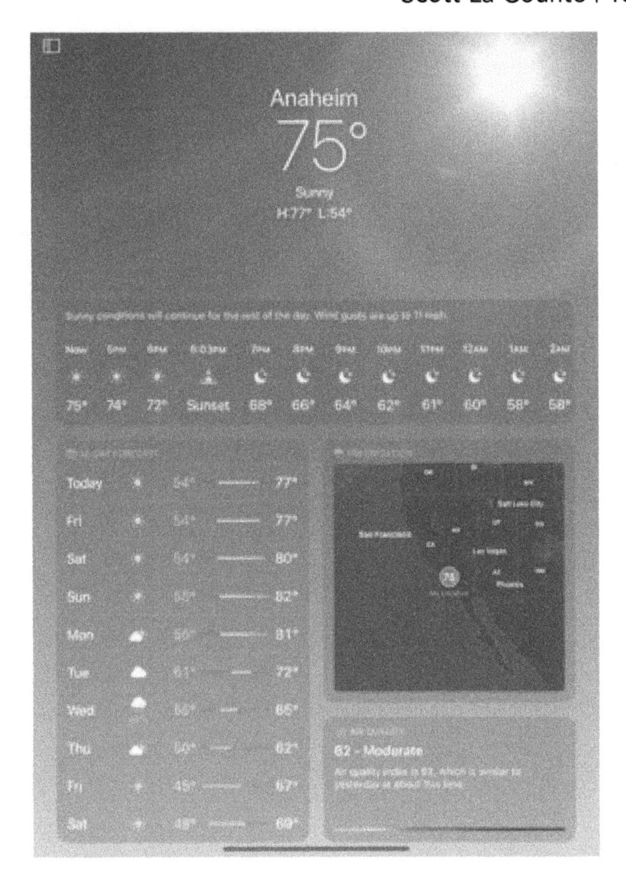

Wenn Sie auf einen bestimmten Tag klicken, erhalten Sie eine stündliche Vorhersage, so dass Sie Ihren Tag planen können.

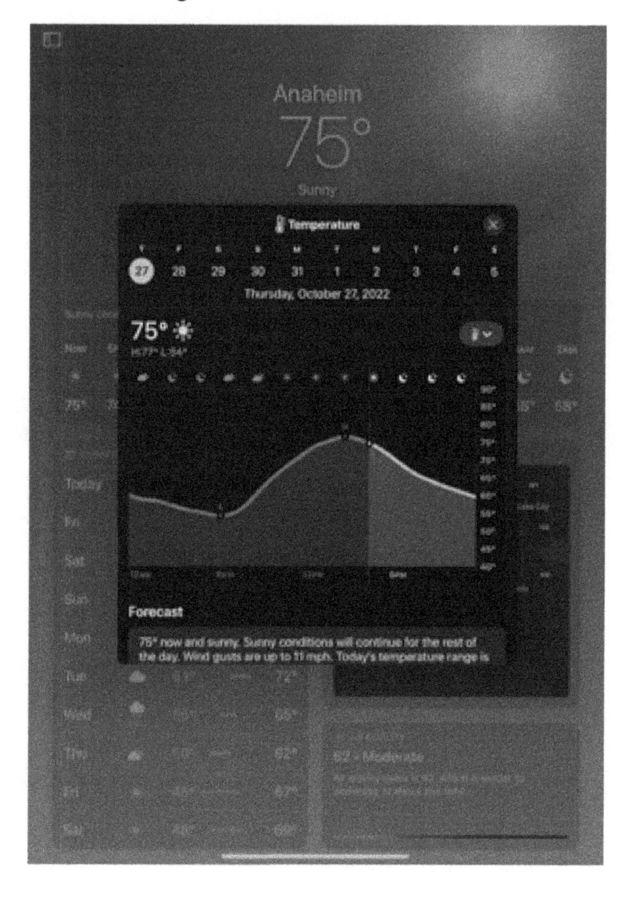
Anaheim
75°
Sunny
Temperature
27 28 29 30 31 1 2 3 4 5
Thursday, October 27, 2022
75°
Forecast
75° now and sunny. Sunny conditions will continue for the rest of the day. Wind gusts are up to 11 mph. Today's temperature range is

[5]
ANPASSEN

Jetzt, wo Sie sich auskennen, ist es an der Zeit, sich mit den Einstellungen zu befassen und das Tablet ganz nach Ihren Wünschen zu gestalten!

Die meiste Zeit dieses Kapitels werde ich mich im Bereich Einstellungen aufhalten. Wenn Sie also noch nicht dort sind, tippen Sie auf dem Startbildschirm auf Einstellungen.

BILDSCHIRMZEIT

Um die Bildschirmzeit zu verwenden, gehen Sie zu Einstellungen > Bildschirmzeit

Sie können auf eine beliebige Anwendung klicken, um zu sehen, wie viel Zeit Sie damit verbracht haben, und sogar, wie Ihr Durchschnitt ist. Von hier aus können Sie auch Grenzen hinzufügen.

Bitte nicht stören Modus

Bitte nicht stören Der Modus "Nicht stören" ist eine praktische Funktion, die sich in der Nähe des oberen Bereichs Ihrer Einstellungen-App befindet. Wenn dieser Betriebsmodus aktiviert ist, erhalten Sie keine Benachrichtigungen und alle Anrufe werden stumm geschaltet. Das ist ein nützlicher Trick, wenn du dich nicht ablenken lassen kannst (und seien wir mal ehrlich, dein iPad ist ein kommunikatives Gerät und manchmal brauchst du einfach etwas Ruhe). Der Wecker klingelt weiterhin.

Zum Einschalten, Planen und Anpassen des Anrufschutzestippen Sie einfach auf Nicht stören in den Einstellungen. Sie können automatische Zeiten für die Aktivierung dieser Funktion festlegen, wie z. B. Ihre Arbeitszeiten. Sie können auch bestimmte Anrufer festlegen, die zugelassen werden sollen, wenn Ihr Tablet auf "Nicht stören" eingestellt ist. Auf diese Weise kann Ihre Mutter Sie trotzdem erreichen, aber Sie müssen nicht jede eingehende E-Mail hören. Verwenden Sie dazu den Befehl Anrufe zulassen von in den Nicht stören-Einstellungen.

Bitte nicht stören ist auch über das Kontrollzentrum zugänglich (wischen Sie von der oberen rechten Ecke des Bildschirms nach unten, um jederzeit darauf zuzugreifen).

Benachrichtigungen und Widgets

Benachrichtigungen sind eine der nützlichsten Funktionen auf dem iPad, aber wahrscheinlich musst du nicht über jedes einzelne Ereignis informiert werden, das in deinem Benachrichtigungscenter als Standard eingestellt ist. Um die Einstellungen für Benachrichtigungen anzupassen, geh zu "Einstellungen" > "Benachrichtigungen".

Wenn Sie auf die App tippen, können Sie Benachrichtigungen ein- oder ausschalten und die Art der Benachrichtigung von jeder App fein abstimmen. Es ist eine gute Idee, diese Liste auf die Apps zu beschränken, von denen Sie wirklich benachrichtigt werden möchten - wenn Sie beispielsweise kein Investor sind, deaktivieren Sie Aktien! Das Reduzieren der Anzahl der Töne, die Ihr iPad von sich gibt, kann auch die tabletbedingte Unruhe verringern. So können Sie z. B. in Mail festlegen, dass Ihr Tablet einen Ton ausgibt, wenn Sie eine E-Mail von einer Person auf Ihrer VIP-Liste erhalten, aber nur Abzeichen für andere, weniger wichtige E-Mails anzeigt.

Allgemeine Einstellungen

Der Menüpunkt "Allgemein" ist so etwas wie ein Auffangbecken. Hier findest du Informationen über dein iPad, darunter die aktuelle iOS-Version und alle verfügbaren Software-Updates. Glücklicherweise läutet iPadOS 16 eine Ära kleinerer, effizienterer Aktualisierungen ein, sodass du dich nicht damit abplagen musst, Apps zu löschen, um Platz für die neuesten Verbesserungen zu schaffen. Du kannst auch deinen Tablet- und iCloud Speicher hier überprüfen.

Die Zugänglichkeit Optionen befinden sich ebenfalls hier. Du kannst dein iPad mit Zoom, Voiceover, großem Text, Farbanpassung und mehr nach deinen Bedürfnissen einstellen. Es gibt eine ganze Reihe von Zugänglichkeitsoptionen, die die Nutzung von iPadOS 16 für alle erleichtern, darunter die Graustufenansicht und verbesserte Zoomoptionen.

Eine praktische Option für Barrierefreiheit Option, die ein wenig versteckt ist, ist die AssistiveTouch-Einstellung. Damit erhalten Sie ein Menü, mit dem Sie auf Funktionen auf Geräteebene zugreifen können. Wenn du sie aktivierst, wird ein schwebendes Menü angezeigt, das Benutzern hilft, die Schwierigkeiten mit Bildschirmgesten wie dem Wischen oder der Bedienung der physischen Tasten des iPad haben. Eine weitere Funktion für Menschen mit Sehproblemen ist die Lupe. Wenn du diese Funktion aktivierst, kann deine Kamera Dinge vergrößern. Bei älteren Modellen kannst du auch auf die Home-Taste klicken und alles vergrößern, was du gerade betrachtest.

Ich empfehle Ihnen, sich etwas Zeit zu nehmen und den allgemeinen Bereich zu durchforsten, damit Sie wissen, wo sich alles befindet!

Klingt

Hassen Sie die Vibration, wenn Ihr Tablet klingelt? Möchten Sie Ihren Klingelton ändern? Besuchen Sie das Menü Sounds Einstellungen! Hier kannst du die Vibration ein- oder ausschalten und Klingeltöne einer Reihe von iPad-Funktionen zuweisen. Ich empfehle, sich einen abgelegenen Ort zu suchen, bevor du die verschiedenen Toneinstellungen ausprobierst - es macht Spaß, kann aber auch ein großes Ärgernis für diejenigen sein, die das Pech haben, nicht mit ihrem eigenen neuen iPad zu spielen!

Tipp: Sie können Ihren Kontakten individuelle Klingeltöne und Nachrichtenwarnungen zuweisen. Gehen Sie einfach zum Kontaktbildschirm der betreffenden Person in Kontakte, tippen Sie auf Bearbeiten und dann auf Klingelton zuweisen.

Helligkeit anpassen und Hintergrundbild

Auf dem iPad bezieht sich der Begriff "Hintergrundbild" auf das Hintergrundbild auf dem Home-Bildschirm und auf das Bild, das angezeigt wird, wenn das iPad gesperrt ist (Sperrbildschirm). Sie können beide Bilder mit zwei Methoden ändern.

Für die erste Methode gehen Sie zu Einstellungen > Hintergrundbilder. Hier sehen Sie eine Vorschau Ihres aktuellen Hintergrunds und Sperrbildschirms. Tippen Sie auf Ein neues Hintergrundbild auswählen. Dort können Sie ein vorinstalliertes dynamisches (bewegtes) oder unbewegtes

Bild oder eines Ihrer eigenen Fotos auswählen. Sobald Sie sich für ein Bild entschieden haben, wird eine Vorschau des Bildes als Sperrbildschirm angezeigt. Hier können Sie den perspektivischen Zoom (durch den sich das Bild beim Neigen des Tablets zu verschieben scheint) deaktivieren, wenn Sie möchten. Tippen Sie auf Einstellen, um fortzufahren. Legen Sie dann fest, ob das Bild als Sperrbildschirm, Startbildschirm oder beides verwendet werden soll.

Die andere Möglichkeit, die Änderung vorzunehmen, ist über die Foto-App. Suchen Sie das Foto, das Sie als Hintergrundbild festlegen möchten, und tippen Sie auf die Schaltfläche Teilen. Sie haben die Wahl, ein Bild als Hintergrund, als Sperrbildschirm oder als beides festzulegen.

Wenn Sie Bilder aus dem Internet verwenden möchten, ist das ganz einfach. Drücken Sie einfach auf das Bild und halten Sie es gedrückt, bis die Meldung Bild speichern/kopieren/abbrechen angezeigt wird. Wenn Sie das Bild speichern, wird es unter "Kürzlich hinzugefügte Fotos" in der Fotos-App gespeichert.

Datenschutz

Die Rubrik Datenschutz in den Einstellungen können Sie sehen, was Apps mit Ihren Daten machen. Jede App, der Sie die Verwendung von Ortungsdiensten erlaubt haben, wird unter Ortungsdienste angezeigt (und Sie können die Ortungsdienste für einzelne Apps oder für Ihr gesamtes Gerät hier auch aus- und einschalten). Sie können auch durch Ihre Apps gehen, um zu überprüfen, welche Informationen jede einzelne App empfängt und überträgt.

Wenn Sie eine App verwenden, die entweder die Kamera oder das Mikrofon nutzt, sehen Sie jetzt eine grüne Anzeige direkt über Ihrem Mobilfunksignal.

Kompromittiertes Passwort

Datenschutzverletzungen sind heutzutage keine Seltenheit mehr. Apple trägt seinen Teil dazu bei, dass sie transparent gemacht werden, wenn sie auftreten, und hilft Ihnen, sie zu beheben, bevor sie zu einem Problem werden.

Rufen Sie die App "Einstellungen" auf und scrollen Sie dann zu "Passwörter".

In diesem Bereich (der passwortgeschützt ist) können Sie alle Ihre gespeicherten Passwörter sehen, aber unter Sicherheit Empfehlungen können Sie auch sehen, ob Ihr Kennwort "möglicherweise" kompromittiert worden ist. Ich sage "möglicherweise", weil dies nicht bedeutet, dass Sie gehackt wurden. Es bedeutet nur, dass Daten von einem

Unternehmen entwendet wurden, und Sie könnten auf dieser Liste stehen, weil Sie in der Vergangenheit ein Konto bei diesem Unternehmen hatten.

Wenn Sie auf die Empfehlungen klicken, werden Sie nacheinander zu jeder möglichen Sicherheitsverletzung geführt und es wird Ihnen angezeigt, warum die Empfehlung ausgesprochen wird. Im folgenden Beispiel heißt es, dass bei Apple eine Sicherheitslücke aufgetreten ist und dass ich mein Passwort ändern soll.

Ich kann auf Passwort auf Website ändern tippen, um das Passwort zu ändern, oder ich kann auf die Meldung klicken, um etwas mehr darüber zu erfahren. Im Beispiel unten steht, dass ich dasselbe Kennwort auf einer anderen Website verwendet habe und ich es daher auch dort ändern sollte.

Datenschutz Bericht

In Safarikönnen Sie auf das AA-Symbol neben der Webadresse tippen, um einen Datenschutzbericht anzuzeigen. Bericht.

Der Datenschutz Bericht wird mir mehr über Tracker sagen, die versuchen, mich zu verfolgen. Ein Tracker ist im Grunde ein kleiner Code, der in eine Website eingebettet ist und verfolgt, was ich tue. Zum Beispiel teilt er Facebook mit dass ich eine Website über Legos besucht habe, so dass mir Lego-Werbung angezeigt werden sollte. Unheimlich, oder?!

Mail, Kontakte, Kalender Einstellungen

Wenn Sie weitere Mails, Kontakte oder Kalender hinzufügen möchten oder Kalender Konten hinzufügen möchten, tippen Sie auf Einstellungen > Mail, Kontakte und Kalender, um dies zu tun. Dies ist mehr oder weniger derselbe Vorgang wie das Hinzufügen eines neuen Kontos in der App. Sie können hier auch andere Einstellungen vornehmen, z. B. Ihre E-Mail-Signatur für jedes verknüpfte Konto. Hier können Sie auch überprüfen, welche Aspekte der einzelnen Konten miteinander verknüpft sind - zum Beispiel möchten Sie vielleicht Ihre Aufgaben, Kalender und E-Mails von Exchange verknüpfen, aber nicht Ihre Kontakte. All dies können Sie hier verwalten.

Hier gibt es eine Reihe weiterer nützlicher Einstellungen, darunter die Häufigkeit, mit der Ihre Konten nach E-Mails suchen sollen (die Standardeinstellung "Push" schont Ihren Akku am meisten). Sie können auch Funktionen wie "Vor dem Löschen fragen" aktivieren und den Wochentag einstellen, an dem Ihr Kalender beginnen soll.

Hinzufügen von Facebook und Twitter

Wenn Sie Twitter benutzen, Facebook oder Flickr verwenden, möchten Sie diese wahrscheinlich in Ihr iPad integrieren. Das ist ein Kinderspiel. Tippen Sie einfach auf "Einstellungen" und suchen Sie im Hauptmenü nach "Twitter", "Facebook" und "Flickr" (Sie können auch Vimeo- und Weibo-Accounts integrieren, wenn Sie diese haben). Tippen Sie auf die Plattform, die Sie integrieren möchten. Dort geben Sie Ihren Benutzernamen und Ihr Passwort ein. Auf diese Weise können Sie Webseiten, Fotos, Notizen, App Store Seiten, Musik und mehr direkt aus den nativen Apps deines iPads teilen.

Das iPad wird Sie fragen, ob Sie die kostenlosen Facebook, Twitter und Flickr herunterladen möchten, wenn Sie Ihre Konten konfigurieren, falls Sie dies nicht bereits getan haben. Ich empfehle, dies zu tun - die Apps sind einfach zu bedienen, kostenlos und sehen toll aus.

Ich habe festgestellt, dass, wenn ich mein Facebook Konto verknüpfte, wurde meine Kontaktliste extrem aufgebläht. Wenn Sie Ihre Facebook-Freunde nicht in Ihre Kontaktliste aufnehmen möchten, passen Sie die Liste der Anwendungen an, die auf Ihre Kontakte zugreifen können unter Einstellungen > Facebook.

Familie teilen

Gemeinsame Nutzung von Familien ist eine meiner Lieblingsfunktionen in iPadOS 16. Mit der Familienfreigabe kannst du den App Store und iTunes Einkäufe mit Familienmitgliedern zu teilen (vorher war dafür ein komplizierter Tanz erforderlich, der nicht ganz mit den Nutzungsbedingungen übereinstimmte). Wenn Sie die Familienfreigabe aktivieren, werden auch ein gemeinsamer Familienkalender, ein Fotoalbum und eine Erinnerungsliste erstellt. Die Familienmitglieder können auch den Standort der anderen in der kostenlosen App "Find My App sehen und den Standort der Geräte des jeweils anderen überprüfen. Insgesamt ist Family Sharing eine großartige Möglichkeit, alle zu unterhalten und auf dem Laufenden zu halten! Sie können bis zu sechs Personen in die Familienfreigabe einbeziehen.

So aktivieren Sie die Familienfreigabezu aktivieren, gehen Sie zu Einstellungen > iCloud. Tippen Sie hier auf Familienfreigabe einrichten, um loszulegen. Die Person, die die Familienfreigabe für eine Familie einrichtet, wird als Familienorganisator bezeichnet. Das ist eine wichtige Rolle, denn alle Einkäufe der Familienmitglieder werden mit der Kreditkarte des Familienorganisators getätigt! Sobald Sie Ihre Familie eingerichtet haben, können diese auch Ihre früheren Einkäufe herunterladen, einschließlich Musik, Filme, Bücher und Apps.

Laden Sie Ihre Familienmitglieder zur Teilnahme an Family Sharing ein ein, indem Sie deren Apple IDs eingeben. Als Elternteil können Sie mit elterlicher Zustimmung Apple IDs für Ihre Kinder erstellen. Wenn Sie eine neue Apple ID für ein Kind erstellen, wird diese automatisch zu Family Sharing hinzugefügt.

Es gibt zwei Arten von Konten in Family Sharing-Erwachsene und Kinder. Wie zu erwarten, haben Kinderkonten mehr potenzielle Einschränkungen als Erwachsenenkonten. Von besonderem Interesse ist die Option "Zum Kauf auffordern". Sie verhindert, dass jüngere Familienmitglieder die Kreditkartenrechnung des Familienorganisators in die Höhe treiben, indem sie eine elterliche Genehmigung für Einkäufe verlangt. Der Familienorganisator kann auch andere Erwachsene in der Familie benennen, die in der Lage sind, Einkäufe auf den Geräten der Kinder zu autorisieren.

Benutzerdefinierte Tastenkombinationen erstellen

Wenn du einem Symbol deinen eigenen Stempel aufdrücken willst, ist das zwar "technisch" möglich, aber es gibt Einschränkungen. Du könntest zum Beispiel das iMessage Symbol in Ihr Hochzeitsfoto ändern. Was sind die Einschränkungen? Es werden keine Benachrichtigungsanzeigen angezeigt. Ihr Symbol leuchtet also nicht auf, wenn zum Beispiel eine neue Nachricht angezeigt wird. Außerdem wird es über die App "Shortcuts" gestartet, was zu einer Verzögerung beim Öffnen führt.

Dazu müssen Sie eine Verknüpfung für die App erstellen. Wenn Sie die Shortcuts-App nicht sehen, haben Sie sie möglicherweise gelöscht und müssen sie erneut installieren.

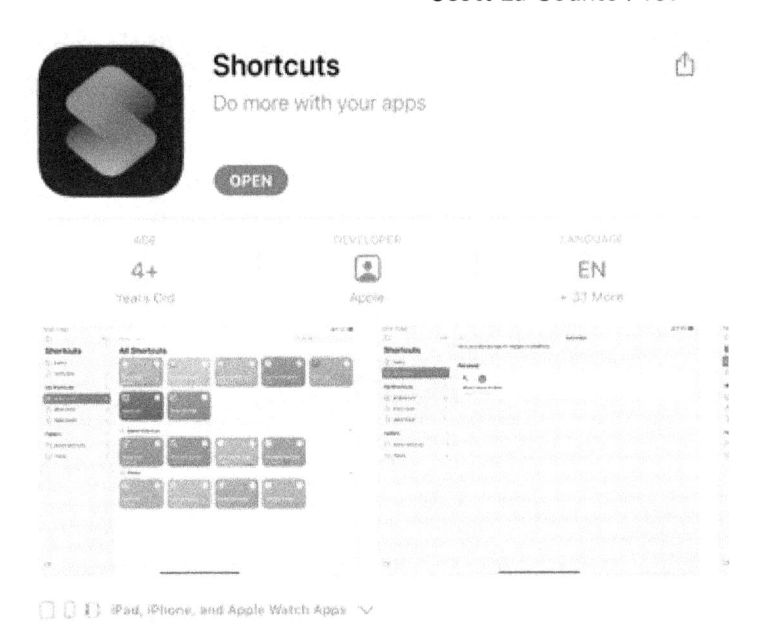

Tippen Sie beim Starten der App auf das +-Symbol in der oberen rechten Ecke.

Wählen Sie anschließend Aktion hinzufügen.

Sie können nach allen möglichen Aktionen suchen, aber es ist schneller, nur nach den Aktionen zu suchen, die Sie durchführen möchten. In diesem Fall: App öffnen.

Tippen Sie auf Wählen, um die App auszuwählen, die Sie öffnen möchten.

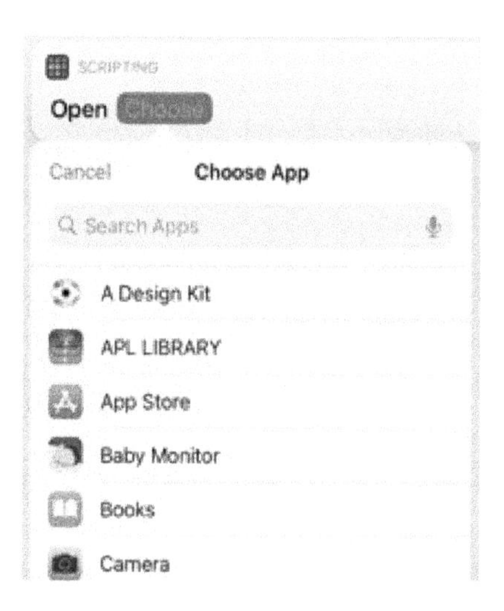

Geben Sie den Namen der App ein, die Sie öffnen möchten. Ich wähle die Nachrichten App.

Tippen Sie dann auf das Symbol in der oberen rechten Ecke mit den drei Punkten und dem blauen Kreis.

Sie möchten dafür ein Symbol auf Ihrem Startbildschirm erstellen, tippen Sie also auf Zum Startbildschirm hinzufügen.

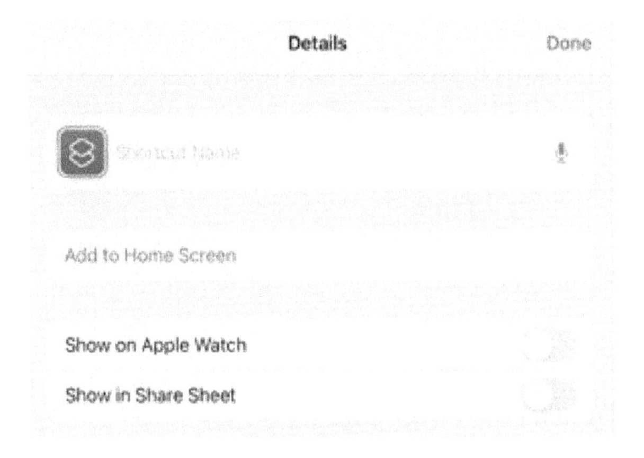

Tippen Sie auf das Symbolbild und wählen Sie aus, wo sich das gewünschte Bild befindet, und wählen Sie dann das Bild aus.

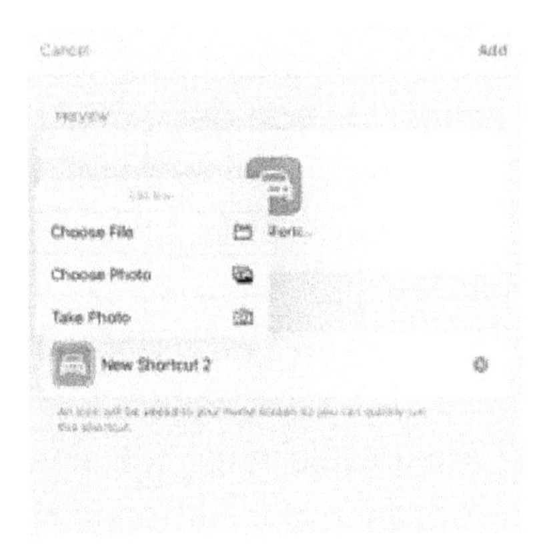

Es wird eine Vorschau des Symbols angezeigt. Bevor Sie auf "Fertig" tippen, ändern Sie den Namen von "Neue Verknüpfung" in "Wie immer Sie es nennen möchten".

Sobald Sie fertig sind, wird sie wie jede andere App auf Ihrem Startbildschirm angezeigt.

Kontinuität und Übergabe

iPadOS 16 enthält einige unglaubliche Funktionen für diejenigen von uns, die mit mehreren iPadOS 16 und Sierra und Yosemite OSX Geräten arbeiten. Wenn auf deinem Computer Yosemite oder höher läuft oder dein iPadOS 16 iPad mit demselben Wi-Fi Netzwerk wie dein iOS 13 iPhone verbunden ist, kannst du von deinem iPad oder Computer aus Anrufe entgegennehmen oder Textnachrichten (sowohl iMessages als auch normale SMS) senden.

Die Funktion Handoff Funktion gibt es in Anwendungen wie Numbers, Safari, Mail und vielen anderen. Mit Handoff können Sie eine App auf einem Gerät mitten in der Aktion verlassen und auf einem anderen Gerät genau dort weitermachen, wo Sie aufgehört haben. Das macht das Leben für diejenigen unter uns, die einen Multi-Gadget-Lebensstil führen, viel einfacher.

[6]
Die Kamera

Aufnahme von Fotos und Videoss

Jetzt, wo Sie wissen, wie man mit dem Tablet anruft, können wir uns wieder dem Spaß widmen! Als Nächstes werde ich mir die Foto-App ansehen.

Die Kamera befindet sich auf dem Startbildschirm, aber Sie können sie auch über den Sperrbildschirm aufrufen, um schnell und einfach darauf zuzugreifen.

Die Kamera App ist ziemlich einfach zu bedienen. Zunächst sollten Sie wissen, dass die Kamera-App zwei Kameras hat: eine auf der Vorderseite und eine auf der Rückseite.

Die Frontkamera hat eine geringere Auflösung und wird hauptsächlich für Selbstporträts verwendet; sie macht immer noch hervorragende Fotos, aber denken Sie daran, dass die Rückkamera besser ist. Um darauf zuzugreifen, tippen Sie auf die Schaltfläche in der oberen rechten Ecke (die mit der Kamera und den zwei Pfeilen). Die Leiste unten zeigt alle Kameramodi an. So können Sie vom Foto- zum Videomodus wechseln.

An der Seite des Bildschirms sehen Sie eine Blitztaste. Das ist Ihr Blitz. Tippen Sie auf diese Schaltfläche und Sie können zwischen verschiedenen Blitzmodi wechseln.

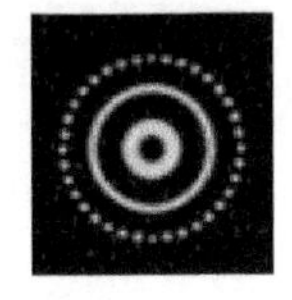

Die nächsten beiden Tasten werden Sie nicht ganz so häufig verwenden. Die erste, der Kreis, ist für Live-Fotos. Live-Fotos nimmt ein kurzes Video auf, während Sie das Foto aufnehmen; es ist so schnell, dass Sie es gar nicht bemerken werden. Die Funktion ist automatisch aktiviert, also tippen Sie einmal darauf, um sie auszuschalten; wenn Sie ein Foto mit aktiviertem Live-Foto antippen und halten, sehen Sie das Video. Daneben befindet sich ein Timer, der, wie zu erwarten, die Aufnahme verzögert, damit Sie ein Gruppenfoto machen können.

Einer der Fotomodi heißt "Panooder Panorama". Mit Panorama können Sie ein besonders langes Foto mit einer Größe von über 20 Megapixeln aufnehmen. Tippen Sie auf die Schaltfläche Panorama, um sie zu verwenden. Es werden nun Anweisungen auf dem Bildschirm angezeigt. Drücken Sie einfach die Aufnahmetaste am unteren Rand des Bildschirms, und drehen Sie die Kamera so gerade wie möglich, während Sie der Linie folgen. Wenn Sie das Ende erreicht haben, wird das Foto automatisch in Ihr Album aufgenommen.

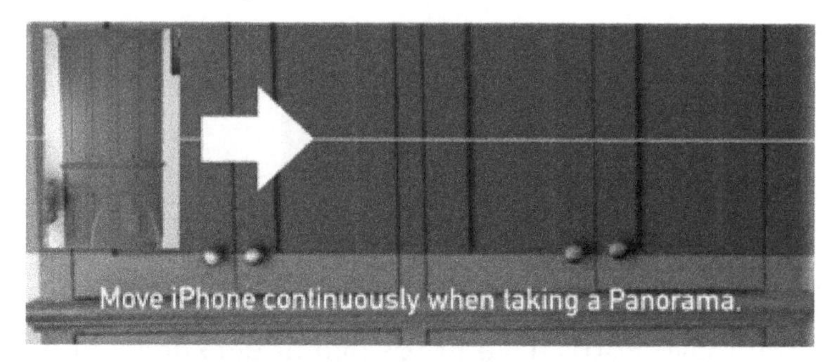

Der Modus, von dem Sie wahrscheinlich am meisten gehört haben, ist der Portrait Modus. Der Porträtmodus verleiht Ihren Fotos den unscharfen Effekt, den Sie von hochwertigen DSLR-Kameras kennen.

Egal, ob ein Nutzer ein Selfie-Liebhaber oder ein Porträt-Fotosüchtiger ist, diese beiden Funktionen werden alle Nutzer zu schätzen wissen.

So greifen Sie auf den Hochformat Modus und den Modus "Porträtlicht" auf dem iPad mini:

Rufen Sie die Kamera app.

Streichen Sie nach oben oder unten, um zur Einstellung Porträt Einstellung zu wechseln.

Richten Sie die Aufnahme in einem Abstand von 2 bis 8 Fuß zum Motiv aus. Die Gesichts- und Körpererkennung der Kamera identifiziert das Motiv automatisch und gibt Anweisungen, sich weiter zu bewegen oder näher an das Motiv heranzutreten.

Achten Sie auf die Anweisungen der Kamera App: mehr Licht erforderlich, Blitz kann helfen, Motiv in einem Umkreis von 3 m platzieren oder weiter weggehen.

Wenn die Aufnahme fertig ist, erscheint ein Banner am unteren Rand.

Wischen oder tippen Sie auf die Würfelsymbole über dem Auslöser, um die Lichteffekte zu ändern.

Drücken Sie den Auslöser, um das Foto aufzunehmen.

Es gibt mehrere verschiedene Porträt Modi (z. B. Studiolicht), aber Sie können nach der Aufnahme des Fotos den Modus wechseln. Wenn Sie also das Foto mit Studiolicht aufnehmen, sich aber entscheiden, dass ein anderer Modus besser aussehen würde, können Sie ihn ändern.

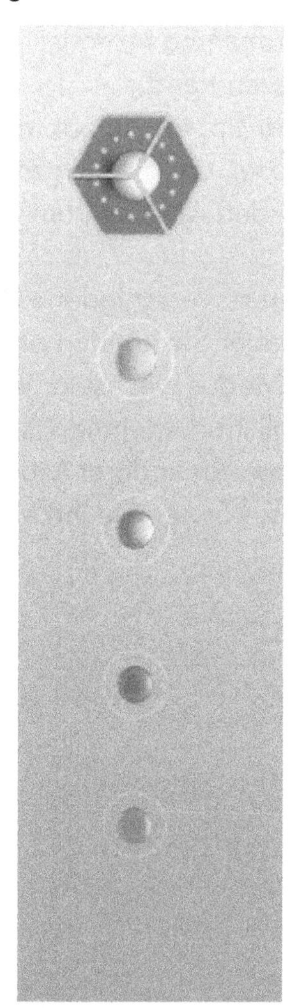

FOTOBEARBEITUNG

Die Bearbeitung Ihrer Fotos ist genauso einfach wie die Aufnahme. So einfach die Bearbeitungswerkzeuge auch sind, so leistungsfähig sind sie auch. Wenn Sie jedoch mehr Leistung wünschen, können Sie jederzeit eine der Hunderte von

Fotobearbeitungs-Apps im App Store herunterladen.

Um ein Foto zu bearbeiten, tippen Sie auf der Startseite auf das Symbol Foto.

Wenn Sie Fotos starten, sehen Sie eine Registerkarte mit drei Schaltflächen. Im Moment spreche ich über die Schaltfläche Fotos, aber wir werden im nächsten Kapitel über den Fotostream sprechen. Tippen Sie auf Alben und los geht's mit der Bearbeitung!

Tippen Sie als Nächstes auf das Foto, das Sie bearbeiten möchten, und dann in der oberen rechten Ecke auf Bearbeiten. Dadurch wird das Bearbeitungsmenü geöffnet. Unten auf dem Bildschirm sehen Sie alle Optionen: Rückgängig, Autokorrektur (korrigiert die Farbe des Fotos), Farbänderung, Entfernung roter Augen und schließlich Zuschneiden.

Die einzige zusätzliche Funktion ist die mittlere, mit der Sie die Farbsättigung ändern können.

Wenn Sie mit den Änderungen zufrieden sind, tippen Sie auf Speichern in der oberen rechten Ecke.

Denken Sie daran: Wenn Sie zum vorherigen Bildschirm zurückkehren möchten, tippen Sie einfach auf die Schaltfläche Zurück in der oberen linken Ecke.

Live-Fotos

Apple führte Live Photos im Jahr 2015, als das iPhone 6s herauskam. Diese Funktion verbessert die Fotografie auf Tablets, indem sie Bilder verwendet, die sich bewegen. iPadOS 16 macht Live Photos besser als je zuvor. Willst du wissen, wie man ein Live-Foto macht? Schauen wir uns das mal an.

Live-Fotos zeichnet auf, was 1,5 Sekunden vor und nach der Aufnahme des Fotos passiert. Das heißt, Sie erhalten nicht nur ein Foto, sondern auch Bewegungen und Geräusche.

Öffnen Sie die Kamera App;

Schalten Sie Ihre Kamera in den Fotomodus, und aktivieren Sie Live Photos ein;

Halten Sie das Tablet ganz ruhig;

Tippen Sie auf  .

Bei deinem iPad mini ist Live Photos natürlich standardmäßig aktiviert. Wenn du ein Standbild aufnehmen möchtest, tippe auf  und du kannst Live Photos ausschalten. Wenn du willst, dass Live Photos immer ausgeschaltet ist, geh zu "Einstellungen" > "Kamera > Einstellungen beibehalten.

FOTOALBEN UND FOTOFREIGABE

Nachdem Sie nun Ihr Foto aufgenommen und bearbeitet haben, sehen wir uns an, wie Sie Fotos weitergeben können.

Es gibt mehrere Möglichkeiten, Fotos zu teilen. Wenn Sie ein Foto öffnen, sehen Sie eine Optionsleiste am unteren Rand. In der älteren Version gab es mehr Optionen. Diese Optionen wurden nun an einen zentralen Ort verschoben, den Sie im Folgenden sehen werden.

Mit der ersten Schaltfläche können Sie das Foto in sozialen Netzwerken und auf Mediengeräten freigeben.

In der oberen Reihe befinden sich eher die sozialen Optionen, in der unteren Reihe eher die Medienoptionen. AirPlayermöglicht es Ihnen zum Beispiel, Fotos drahtlos zu senden, wenn Sie ein Apple TV haben.

Mit der letzten Schaltfläche können Sie das Foto löschen. Machen Sie sich keine Sorgen, dass Sie versehentlich ein Foto löschen, denn Sie werden aufgefordert, zu bestätigen, ob Sie das Foto löschen möchten, bevor Sie es löschen.

Gehen wir nun zur mittleren Registerkarte. Der Fotostream ist eine Art Flickr; hier können Sie Ihre Fotos ganz einfach mit Ihrer Familie und Ihren Freunden teilen. Um zum Fotostream zu gelangen, tippen Sie auf die Schaltfläche "Teilen" unten in der Foto-App.

In der oberen linken Ecke befindet sich eine "+"-Schaltfläche; tippen Sie darauf.

Daraufhin wird ein Menü angezeigt, mit dem Sie ein gemeinsames Verzeichnis erstellen können. Dort können Sie den Namen wählen, wer es sehen kann und ob es sich um einen öffentlichen oder privaten Fotostream handelt. Um eine Person aus Ihren Kontakten auszuwählen, tippen Sie auf die blaue Schaltfläche "+".

Sobald das Album erstellt ist, tippen Sie auf die Schaltfläche "+" und dann auf jedes Foto, das Sie hinzufügen möchten, und drücken Sie auf "Fertig".

Sobald Ihre Familie oder Ihr Freund Ihre Stream-Einladung annimmt, werden Sie automatisch mit der Synchronisierung Ihrer Fotos beginnen. Jedes Mal, wenn Sie ein Foto zu Ihrem Album hinzufügen, erhalten sie eine Benachrichtigung.

Das neue iPadOS gruppiert deine Fotos jetzt auch als Erinnerungen. Dabei wird berücksichtigt, wo und wann das Foto aufgenommen wurde. Du wirst also Gruppen wie "Weihnachtserinnerungen" bemerken.

UNTERTITEL FÜR FOTOS

Wenn Sie auf einem Foto nach oben streichen, können Sie Änderungen vornehmen, Filter hinzufügen und eine Bildunterschrift hinzufügen, die später durchsucht werden kann. So können Sie etwas wie "Grand Canyon Vacation" hinzufügen und später nach diesem Begriff suchen.

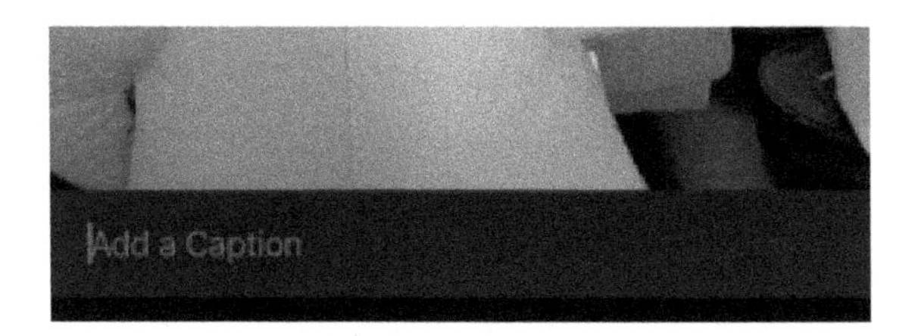

Fotos ausblenden

Wir alle haben peinliche Fotos - Sie wissen schon, die, auf denen Sie ein Tutu tragen und auf einem Einhorn reiten? Oder bin das nur ich?!

Wenn Sie "bestimmte" Fotos ausblenden möchten, so dass nur Sie sie sehen können, dann ist das eine Option. Früher konnte man sie ausblenden, aber sie wurden in den Alben angezeigt. Sie waren "irgendwie" versteckt, aber ich denke, die meisten Leute würden zustimmen, dass sie nicht so sehr versteckt waren, sondern eher schwerer zu finden.

In iPadOS 16 wurde die Möglichkeit hinzugefügt, diesen Ordner komplett auszublenden. Gehen Sie zur App "Einstellungen" und dann "Fotos" und scrollen Sie zu "Verstecktes Album".. Wenn es aktiviert ist, befindet sich das versteckte Album im Bereich "Dienstprogramme" der Alben (wie gesagt, es ist schwerer zu finden, aber nicht wirklich versteckt). Es ist nirgendwo mehr zu finden. Die Bilder werden in der Cloud gespeichert, auch wenn Sie sie nicht sehen können. Um sie zu sehen, schalten Sie sie wieder ein, gehen Sie zu Alben und scrollen Sie zu Dienstprogramme. Wenn Sie einen Prominenten kennen, geben Sie diese Information an ihn weiter, damit wir nicht mehr von all diesen "versehentlichen" Freigaben von Fotos hören, die eigentlich privat sein sollten.

Um ein Foto auszublenden, suchen Sie es, wählen Sie es aus und tippen Sie auf das Symbol "Freigeben". Daraufhin wird angezeigt, wie Sie das

Foto freigeben möchten (ein etwas irreführender Name, nicht wahr - Sie verstecken das Foto, weil Sie es nicht freigeben möchten).

Dadurch wird bestätigt, dass Sie es tatsächlich ausblenden möchten. Wenn Sie es sich später anders überlegen, gehen Sie in das ausgeblendete Album und heben die Ausblendung auf dieselbe Weise wieder auf. Sie können auch mehrere Bilder auf einmal auswählen, um sie als Gruppe auszublenden.

Foto aus dem Hintergrund heben

Bilder in Texten und Dokumenten sind lustig. Weißt du, was noch besser ist? Entfernen Sie den Hintergrund, damit das Bild richtig zur Geltung kommt!

Öffnen Sie ein Foto und tippen Sie dann auf den Teil, den Sie aus dem Hintergrund herausnehmen möchten. Wählen Sie dann Kopieren.

Gehen Sie dann zu der Anwendung, in die Sie den Text einfügen möchten. Ich verwende die Notizen-App, aber Sie können auch eine Textnachricht, eine E-Mail oder viele andere Apps verwenden. Tippen und halten Sie hier und wählen Sie dann Einfügen.

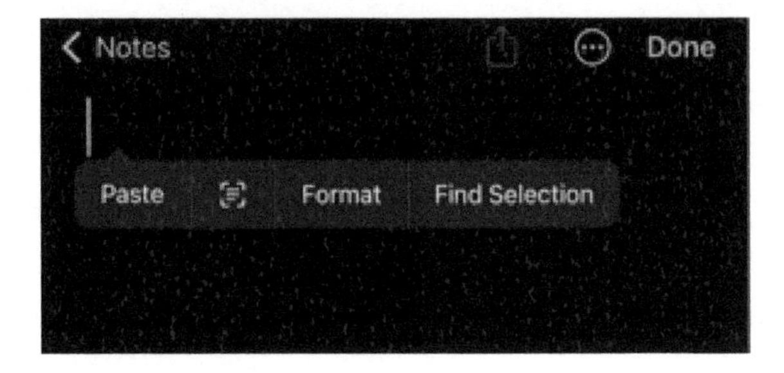

Sehen Sie sich das an! Ein Foto wird eingefügt und der Hintergrund entfernt!

Nachschlagen

Stellen Sie sich vor: Sie haben gerade den süßesten Hund gesehen. Sie möchten wissen, welche Rasse es ist. Fotos bietet eine einfache Lösung: Machen Sie ein Foto und schlagen Sie es dann nach. Werfen Sie einen Blick auf den Welpen unten. Hinreißend, oder? Aber um welche Rasse handelt es sich genau? Wenn Sie über das Foto eines Hundes streichen, können Sie es sehen.

Wenn du nach oben wischst und er erkennt, dass es sich um einen Hund handelt, erscheint ein Symbol mit einem Pfotenabdruck. Tippen Sie darauf.

Es wird nun das so genannte "Siri-Wissen" abrufen, das Artikel über die Rasse enthält, die es für die richtige hält. Es werden auch ähnliche Fotos angezeigt. Liegt er immer richtig? Da es sich um einen Computer handelt, ist das nicht der Fall. Das gilt vor allem für Mischlinge, die mehrere Rassen haben.

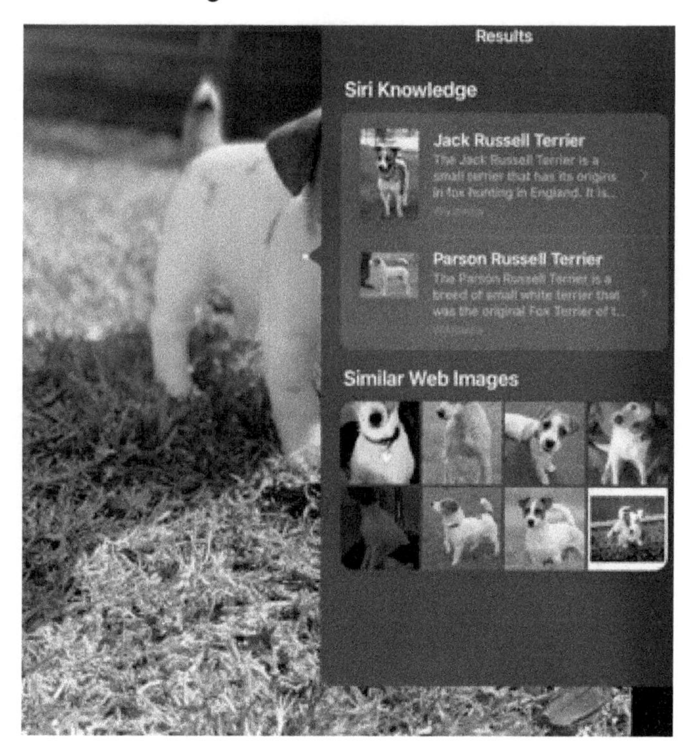

Diese Funktion ist nicht auf Hunde beschränkt. Sie können sie auch für andere Tiere und sogar für Landmarken verwenden. Auf dem Foto unten glaubt es zu wissen, wo dieses Bild aufgenommen wurde, und zeigt es auf einer Karte an - wäre es eine Sehenswürdigkeit, würde es auch Artikel über das Bild liefern.

LIVE-TEXT

Sie können nicht nur Artikel über ein Tier oder einen Ort auf einem Foto schreiben, sondern auch Text aus einem Foto kopieren. Sie müssen nur darauf achten, dass der Text scharf genug ist. Dies ist besonders hilfreich für Dinge wie Telefonnummern. Sie möchten ein Geschäft anrufen? Machen Sie einfach ein Foto des Schildes mit der Nummer, tippen Sie dann auf die Nummer im Bild, und Sie können vom Foto aus anrufen.

Gemeinsame Bibliothek

Die gemeinsame Nutzung eines Albums ist in iOS nichts Neues. Die Freigabe einer Bibliothek ist jedoch etwas ganz anderes. Durch die Freigabe einer Bibliothek erhalten andere Personen Zugriff auf alle Ihre Fotos - oder auf Fotos, für die Sie ihnen die Erlaubnis erteilen, sie zu sehen, z. B. einen Datumsbereich. Das Tolle daran ist, dass Sie Fotos direkt in diesem Ordner freigeben können, wenn Sie ein Foto aufnehmen. Sehen wir uns einmal an, wie man das einrichtet und wie es funktioniert.

Um damit zu beginnen, müssen Sie Ihre Einstellungen aufrufen. Navigieren Sie in den Einstellungen zu Fotos und klicken Sie dann auf die Option "Gemeinsame Bibliothek".

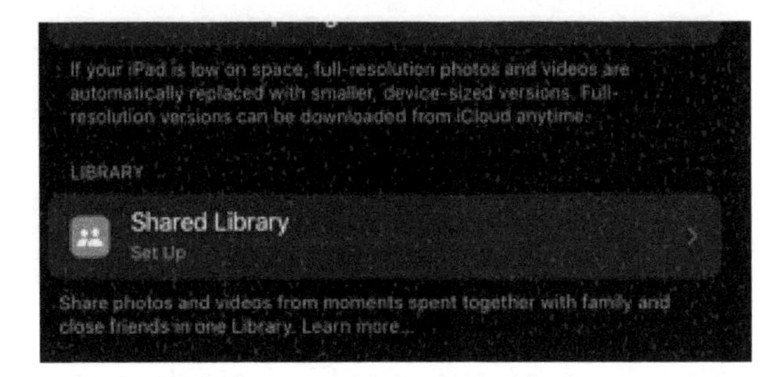

Dies führt Sie zu einer sehr einfachen Anleitung für die Einrichtung; tippen Sie einfach auf die blaue Option "Erste Schritte", um loszulegen.

Als Nächstes fügen Sie die Kontakte hinzu, die Sie zur Freigabe hinzufügen möchten. Seien Sie hier vorsichtig: Da alle Ihre Fotos freigegeben werden, möchten Sie wahrscheinlich nur Ihre engsten Angehörigen auswählen.

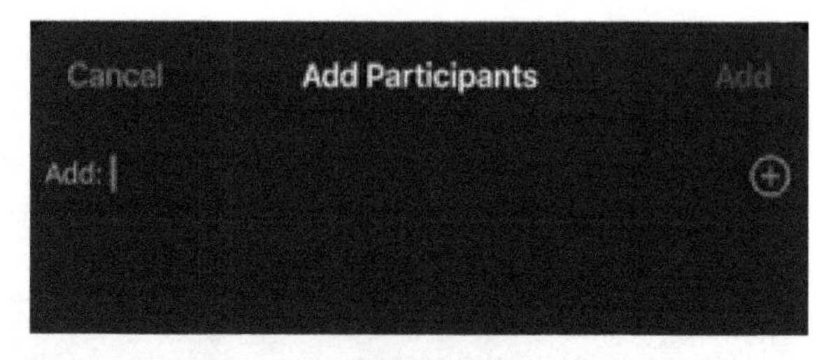

Wählen Sie dann aus, was Sie freigeben möchten: alle Ihre Fotos, einen Datumsbereich von Fotos oder eine manuelle Auswahl.

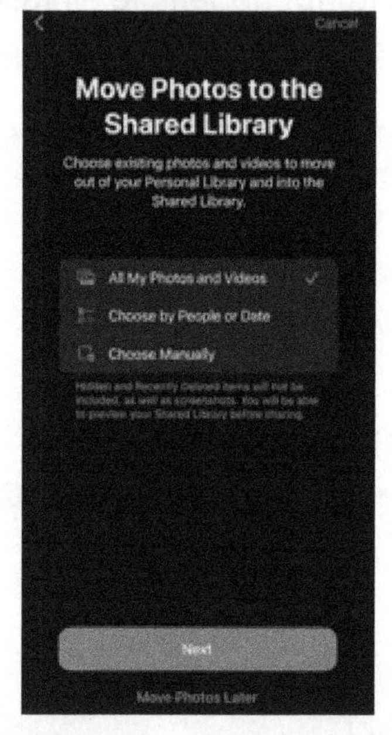

Als Nächstes erhalten Sie eine Vorschau dessen, was Sie freigeben. Wenn Sie das iPhone schon eine Weile nutzen, kann die Vorschau recht umfangreich sein - in meinem Fall sehe ich, dass ich fast 50.000 Fotos und 4.000 Videos freigegeben habe. Wenn Sie etwas Ähnliches teilen, werden Sie wahrscheinlich für längere Zeit einen Bearbeitungsbildschirm sehen.

Von hier aus entscheiden Sie, wie Sie sie einladen, die Fotos zu sehen.

Es wird lediglich ein kleines Vorschaubild mit dem Link in die Nachricht eingefügt, die Sie versenden.

Sie werden auch gefragt, ob Sie direkt von der Kamera aus teilen möchten - das bedeutet, dass das Foto, das Sie aufgenommen haben, geteilt wird.

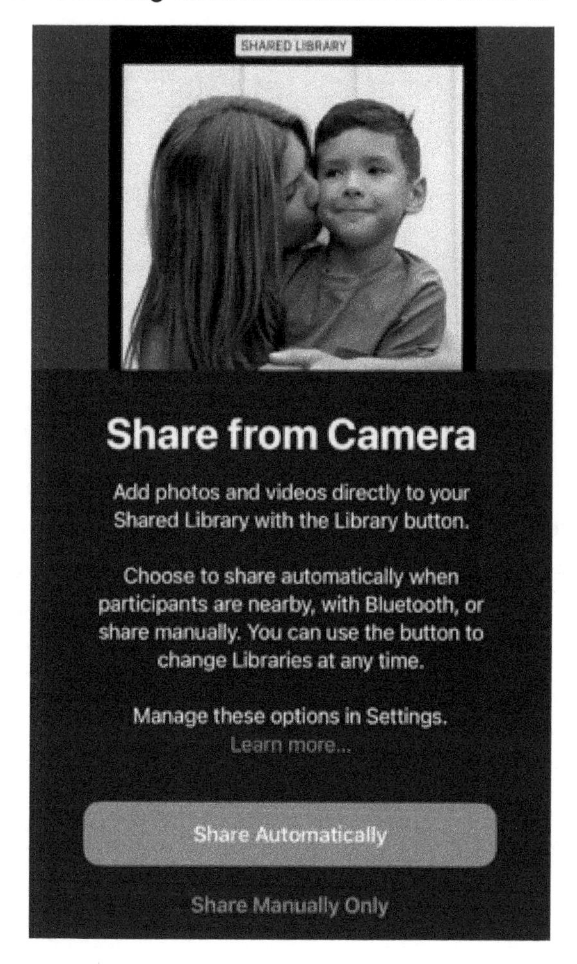

Sobald Sie die Frage zur Kamera beantwortet haben, können Sie mit dem Teilen beginnen.

Wenn du auf Fotos gehst, wirst du feststellen, dass du mit einem Klick auf die kleinen drei Punkte in der oberen rechten Ecke aller Fotos eine Option zum Anzeigen deiner verschiedenen Bibliotheken findest.

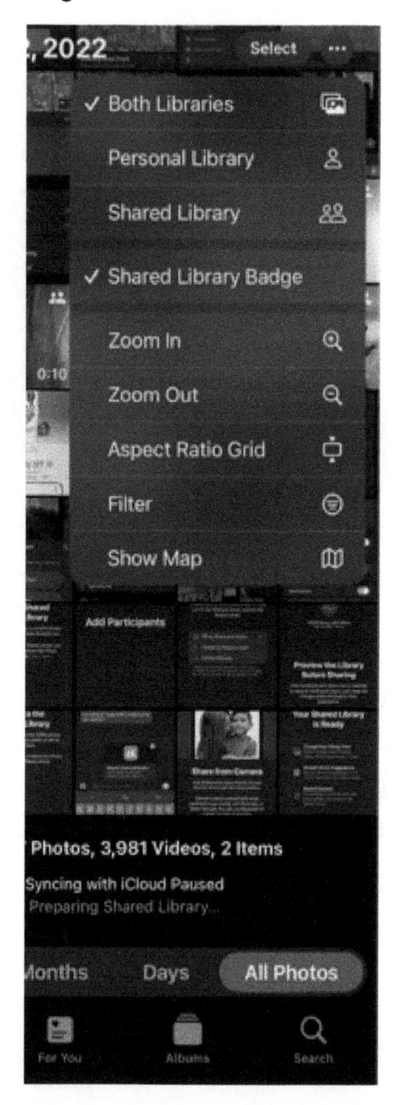

In der Kamera-App sehen Sie außerdem ein kleines Personensymbol, das entweder ein- oder ausgeschaltet ist.

Aus bedeutet, dass Sie die Fotos, die Sie in Ihrer Gemeinsamen Bibliothek aufnehmen, nicht freigeben; eingeschaltet bedeutet, dass Sie sie freigeben.

[7]
Animoji?

Eigenes Animoji hinzufügen

Ich will ehrlich sein, ich finde Animoj gruselig! Was das ist? Man muss es fast ausprobieren, um es zu verstehen. Kurz gesagt, Animoji verwandelt dich in ein Emoji. Willst du jemandem ein Emoji eines Affen schicken? Das ist lustig. Aber weißt du, was noch lustig ist? Dass der Affe denselben Gesichtsausdruck hat wie du!

Wenn du Animoji verwendest, hältst du die Kamera vor dich. Wenn du deine Zunge herausstreckst, streckt das Emoji seine Zunge heraus. Wenn du zwinkerst, zwinkert das Emoji. So kann man einer Person ein Emoji schicken, das genau zeigt, wie man sich fühlt.

Um sie zu verwenden, öffnen Sie Ihre iMessage App. Beginnen Sie einen Text wie gewohnt. Tippen Sie auf die App-Schaltfläche und anschließend auf die Animoji-Schaltfläche. Wählen Sie ein Animoji aus und tippen Sie darauf, um es im Vollbildmodus zu sehen. Schauen Sie direkt in die Kamera und platzieren Sie Ihr Gesicht in das Bild. Tippen Sie auf die Aufnahmetaste und sprechen Sie bis zu 10 Sekunden lang. Tippen Sie auf die Schaltfläche Vorschau, um sich das Animoji anzusehen. Tippen Sie auf die Pfeil-nach-oben-Taste zum Senden oder auf den Papierkorb zum Löschen.

Du kannst auch ein Emoji erstellen, das wie du aussieht. Klicken Sie auf die große "+"-Schaltfläche neben den anderen Animojis.

Hier werden Sie durch alle Schritte geführt, um Ihr ganz persönliches Animoji zu senden - von der Haarfarbe bis zur Art der Nase.

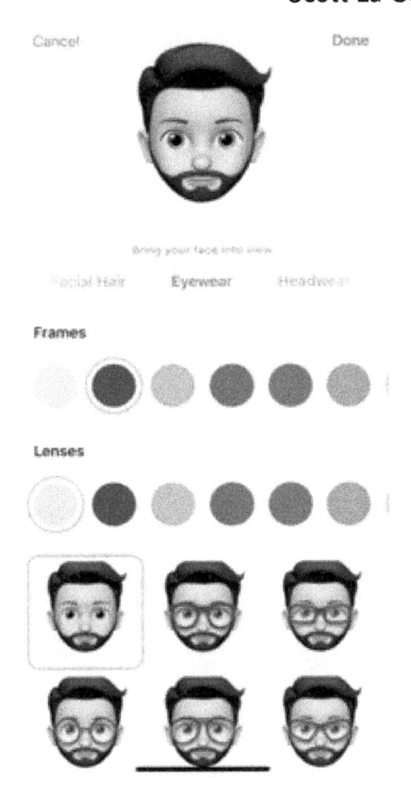

Wenn Sie fertig sind, können Sie senden.

[8]

HALLO, SIRI

Inzwischen wissen Sie wahrscheinlich alles über Siri und wie es dich an Dinge erinnern kann. Wenn nicht, sagen Sie "Hey, Siri".

Siri funktioniert wie immer, aber sie hat ein paar Aktualisierungen unter der Haube bekommen, um sie schneller zu machen.

Die größte Änderung an Siri ist das Aussehen. Das Thema vieler Änderungen an iOS ist, wie man das, was bereits funktioniert, minimieren kann. Bei Siri bedeutet das ein kleineres Aussehen. Sie wird jetzt auf eine unaufdringlichere Weise gestartet.

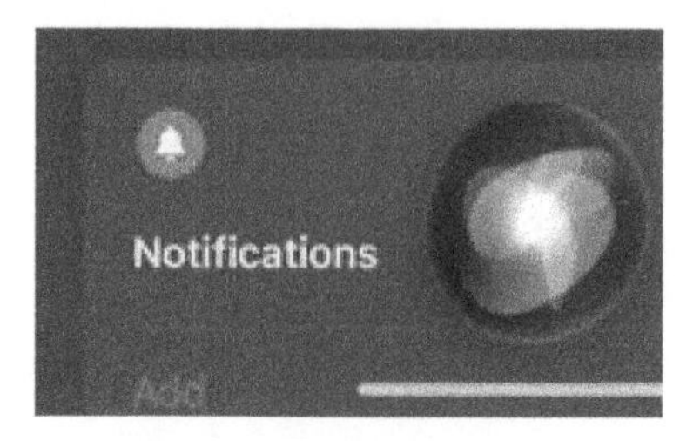

Ihre Antworten sind auch weniger ablenkend. Früher hat sie Antworten im Vollbildmodus verschickt, so dass man nicht mehr sehen konnte, was man gerade tat, um die Antwort zu sehen. Jetzt braucht sie nur noch ein bisschen Platz.

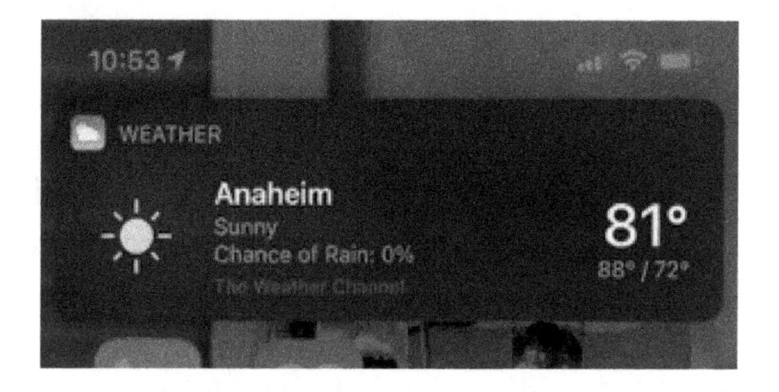

Was genau können Sie damit tun? Als Erstes sollten Sie Siri deiner Familie vorstellen. Siri ist ziemlich schlau, und sie möchte deine Familie kennenlernen. Um sie deiner Familie vorzustellen, aktiviere Siri und sage: "Brian ist mein Bruder" oder "Susan ist mein Chef". Sobald Sie die Beziehung bestätigt haben, können Sie nun Dinge sagen wie: "Ruf meinen Bruder an" oder "Schreib eine E-Mail an meinen Chef".

Siri ist auch standortbezogen. Was bedeutet das? Es bedeutet, dass Sie anstatt zu sagen: "Erinnere mich daran, dass ich meine Frau um 8 Uhr morgens anrufen soll", können Sie sagen: "Erinnere mich daran, meine Frau anzurufen, wenn ich die Arbeit verlasse", und sobald Sie das Büro verlassen, erhalten Sie eine Erinnerung. Siri kann anfangs etwas frustrierend sein, aber es ist eine der leistungsfähigsten Apps auf dem Tablet, also geben Sie ihr eine Chance!

Jeder hasst es, wenn er warten muss. Es gibt nichts Schlimmeres, als hungrig zu sein und eine Stunde auf einen Tisch warten zu müssen. Siri tut ihr Bestes, um Ihnen das Leben leichter zu machen, indem sie Reservierungen für Sie vornimmt. Damit dies funktioniert, benötigen Sie eine kostenlose App namens OpenTable (Sie benötigen auch ein kostenloses Konto), die Sie im Apple App Store finden. Diese App verdient ihr Geld mit den Zahlungen der Restaurants, Sie brauchen also nicht zu befürchten, dass Sie für die Nutzung der App bezahlen müssen. Sobald sie installiert ist, aktivieren Sie einfach Siri und sagen: "Hey Siri, reserviere mir einen Tisch im Olive Garden" (oder wo auch immer Sie essen möchten). Beachten Sie, dass nicht alle Restaurants an OpenTable teilnehmen, aber Hunderte (wenn nicht Tausende) tun es, und das Angebot wächst monatlich, wenn es also noch nicht da ist, wird es wahrscheinlich bald da sein.

Siri entwickelt sich ständig weiter. Und mit dem neuesten Update hat Apple ihr alles beigebracht, was sie über Sport wissen muss. Los, probieren Sie es aus! Sagen Sie etwas wie: "Hey, Siri. Wie ist der

Spielstand bei den Kings?" oder: "Wer führt die Liga bei den Homeruns an?"

Siri ist auch in Filmen ein bisschen weiser geworden. Sie können sagen: "Filme unter der Regie von Peter Jackson" und es wird Ihnen eine Liste mit einer Zusammenfassung, der Bewertung von Rotten Tomatoes und in einigen Fällen sogar ein Trailer oder eine Option zum Kauf des Films angezeigt. Sie können auch sagen: "Filmvorstellungszeiten" und eine Liste der in der Nähe laufenden Filme wird angezeigt. Derzeit können Sie noch keine Tickets für den Film kaufen, aber man kann sich vorstellen, dass diese Option sehr bald verfügbar sein wird.

Schließlich kann Siri Apps für Sie öffnen. Wenn Sie eine App öffnen möchten, sagen Sie einfach: "Öffnen und den Namen der App".

Mit dem neuen iPadOS kannst du Siri Shortcuts hinzufügenSie können dies unter Einstellungen > Siri & Suche > Verknüpfungen sehen.

[10]
Apple-Dienste

Einführung

Früher war es so, dass Apple ein paar Mal im Jahr die Bühne betrat und etwas ankündigte, über das sich alle den Kopf zerbrachen! Das iPhone! Das iPad! Die Apple Watch! Der iPod!

Das ist auch heute noch so, aber Apple ist sich auch der Realität bewusst: Die meisten Menschen rüsten nicht jedes Jahr auf neue Hardware auf. Wie kann ein Unternehmen in diesem Fall Geld verdienen? Mit einem Wort: mit Dienstleistungen.

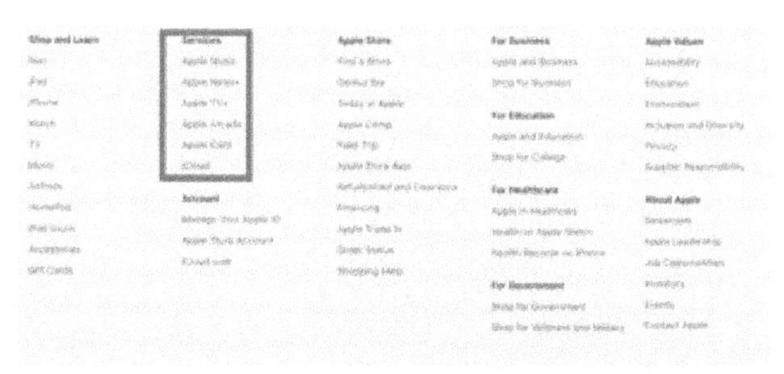

In den letzten Jahren (insbesondere im Jahr 2019) hat Apple mehrere Dienste angekündigt, für die die Kunden monatlich zahlen müssen. Dies war eine Möglichkeit, weiterhin Geld zu verdienen, auch wenn die Leute keine Hardware kauften.

Damit das funktioniert, wusste Apple, dass sie nicht einfach einen minderwertigen Dienst anbieten und erwarten konnten, dass die Leute zahlen, weil Apple draufsteht. Er musste gut sein. Und das ist er auch!

Dieses Buch führt Sie durch diese Dienste und zeigt Ihnen, wie Sie das Beste aus ihnen herausholen können.

ICloud

iCloud ist etwas, über das Apple nicht viel spricht, aber es ist vielleicht sein größter Dienst. Es wird geschätzt, dass fast 850 Millionen Menschen sie nutzen. Das Problem dabei ist jedoch, dass viele Menschen nicht einmal wissen, dass sie sie nutzen.

Was genau ist das? Wenn Sie mit Google Drive vertraut sind, dann verstehen Sie das Konzept wahrscheinlich schon. Es handelt sich um ein Online-Speicherfach. Aber es ist mehr als das. Es ist ein Ort, an dem Sie Dateien speichern können, und es synchronisiert auch alles - wenn Sie also eine Nachricht auf Ihrem iPhone senden, erscheint sie auf Ihrem MacBook und iPad. Wenn du mit deinem iPad an einer Keynote Präsentation arbeitest, kannst du auf deinem iPhone dort weitermachen, wo du aufgehört hast.

Das Beste an iCloud ist, dass sie erschwinglich ist. Neue Telefone erhalten 5 GB kostenlos. Danach sieht die Preisspanne wie folgt aus (beachten Sie, dass sich diese Preise nach dem Druck ändern können):

- 50GB: $0.99
- 200GB: $2.99
- 2TB: $9.99

Diese Preise gelten für alle Mitglieder Ihrer Familie. Wenn Sie also fünf Personen haben, braucht nicht jede Person einen eigenen Speicherplan. Das bedeutet auch, dass Einkäufe gespeichert werden - wenn ein Familienmitglied ein Buch oder einen Film kauft, können alle darauf zugreifen.

iCloud ist sogar noch leistungsfähiger geworden, da unser Fotoarchiv immer größer wird. Früher waren Fotos relativ klein, aber mit der Weiterentwicklung der Kameras sind sie immer größer geworden. Die meisten Fotos auf Ihrem Handy sind mehrere MB groß. Mit iCloud können Sie die neuesten Fotos auf Ihrem Handy behalten und die älteren in die Cloud stellen. Das bedeutet auch, dass Sie nicht für das Telefon mit der größten Festplatte bezahlen müssen - selbst wenn Sie die größte Festplatte haben, ist es möglich, dass nicht alle Ihre Fotos darauf passen.

Wo ist iCloud??

Wenn du dein iPad ansiehst, wirst du keine iCloud App. Das liegt daran, dass es keine iCloud-App gibt. Es gibt eine Dateien App, die wie ein Speicherfach funktioniert.

Um iCloud zu sehenzu sehen, zeigen Sie mit Ihrem Computerbrowser auf iCloud.com.

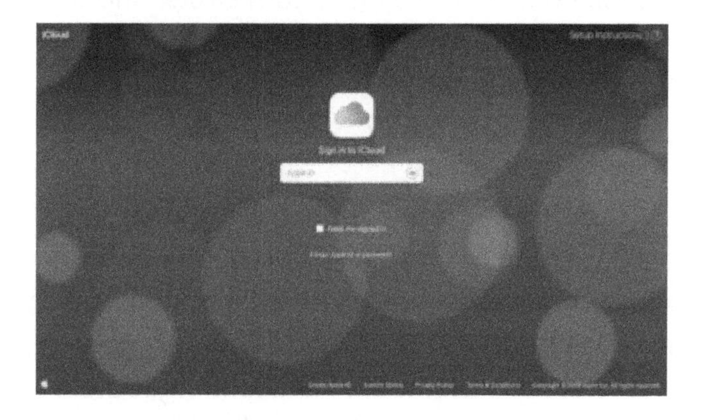

Sobald Sie sich angemeldet haben, sehen Sie alle Dinge, die in Ihrer Cloud gespeichert sind: Fotos, Kontakte, Notizen, Dateien - alles Dinge, auf die Sie auf allen Ihren Geräten zugreifen können.

Darüber hinaus können Sie iCloud von jedem Computer aus nutzen (sogar von PCs); dies ist besonders hilfreich, wenn Sie Find Myverwenden müssen, das nicht nur Ihr iPhone, sondern alle Ihre Apple-Geräte - Telefone, Uhren und sogar AirPods - lokalisiert..

Sichern Ihres Telefons mit iCloud

Das Erste, was Sie über iCloud wissen sollten ist, wie Sie Ihr Telefon damit sichern können. Das ist es, was Sie tun müssen, wenn Sie von einem Telefon zu einem anderen wechseln.

Wenn es keine iCloud App auf dem Telefon gibt, wie machen Sie das dann? Es gibt zwar keine native App im herkömmlichen Sinne, die Sie gewohnt sind, aber es gibt mehrere iCloud-Einstellungen in der App "Einstellungen".

Öffnen Sie die App Einstellungen; oben sehen Sie Ihren Namen und Ihr Profilbild; tippen Sie darauf.

Dies öffnet meine ID-Einstellungen, wo ich Dinge wie Telefonnummern und E-Mails aktualisieren kann. Eine der Optionen ist iCloud. Tippen Sie darauf.

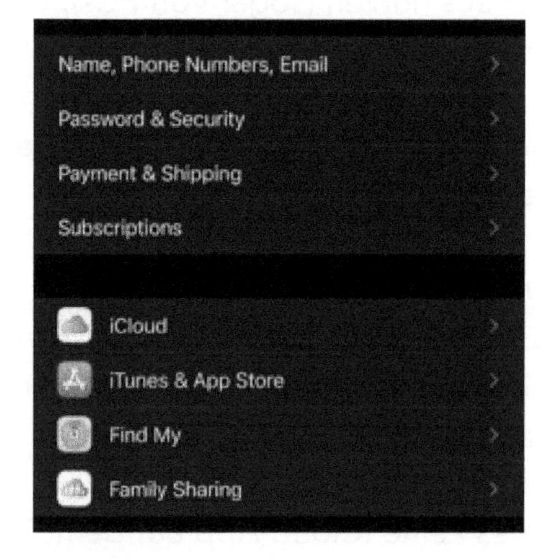

Scrollen Sie ein wenig nach unten, bis Sie zu der Einstellung iCloud Sicherung, und tippen Sie darauf.

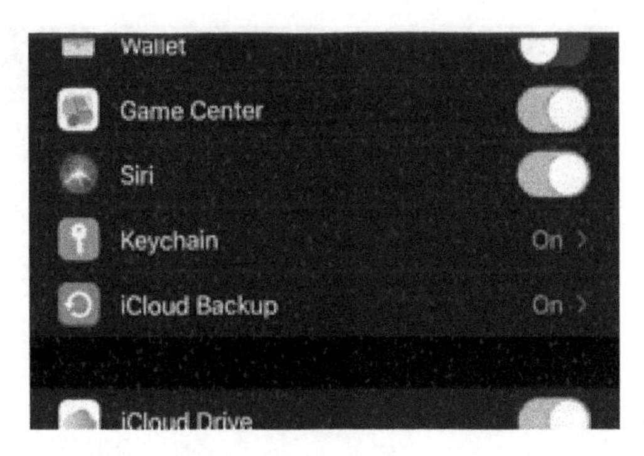

Wahrscheinlich ist die Funktion eingeschaltet (der Kippschalter ist grün). Wenn Sie lieber manuell vorgehen möchten, können Sie die Funktion ausschalten und dann "Jetzt sichern" wählen. Wenn Sie es ausschalten, müssen Sie jedes Mal eine manuelle Sicherung durchführen.

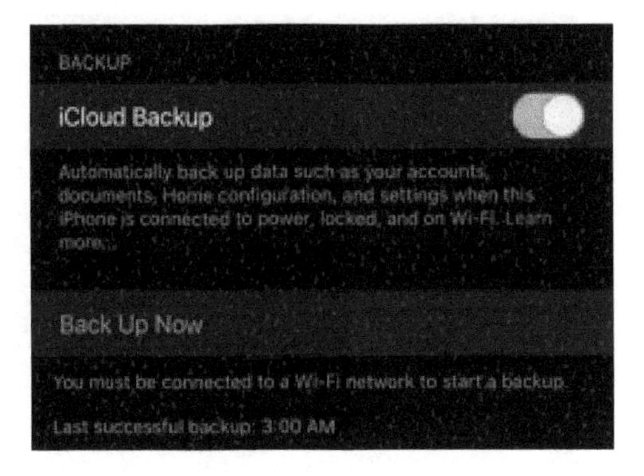

Über die iCloudkönnen Sie auch ändern, welche Apps iCloud verwenden, und sehen, wie viel Speicherplatz Sie noch haben. In meinem Fall habe ich den 2TB-Plan und wir haben etwa die Hälfte davon verwendet.

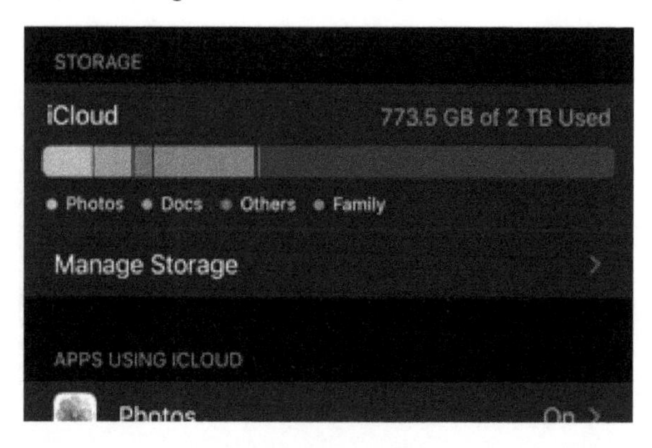

Wenn Sie auf Speicher verwalten tippen, können Sie sehen, wo der Speicher verwendet wird. Sie können Ihr Konto auf dieser Seite auch aktualisieren oder herabstufen, indem Sie auf Speicherplan ändern tippen.

Tippen Sie auf "Familiennutzung" und Sie können genauer sehen, welche Familienmitglieder was nutzen. Auf dieser Seite können Sie auch die Freigabe beenden.

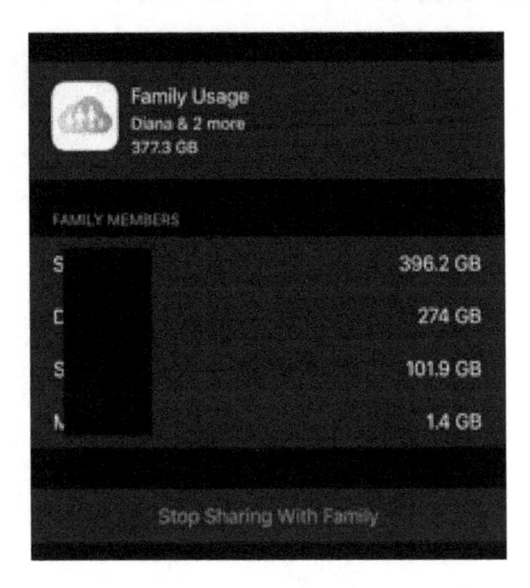

Umzug auf ein neues Gerät

Wenn Sie ein neues Gerät erhalten, werden Sie während der Einrichtung aufgefordert, sich mit Ihrer Apple ID anzumelden, die mit Ihrem vorherigen Gerät verknüpft ist, und erhalten dann die Option, von einem früheren Gerät wiederherzustellen.

Fotos mit iCloud freigeben

Um Fotos mit iCloud zu teilen und zu sicherngehen Sie zu Einstellungen > Fotos und stellen Sie sicher, dass iCloud-Fotos auf grün geschaltet ist. Wenn Ihr Speicherplatz knapp ist, können Sie die Option unten aktivieren, um den Speicher zu optimieren.

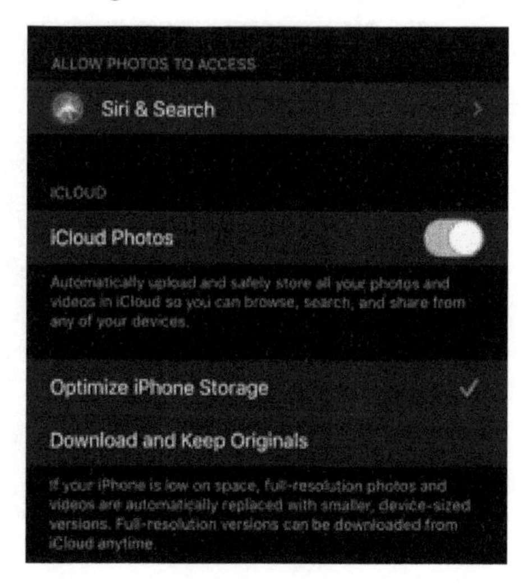

Dateien App

Um Ihre Cloud-Dateien zu sehen, öffnen Sie die Dateien App.

Als Erstes sehen Sie alle Ihre letzten Dateien.

Wenn Sie nicht sehen, wonach Sie suchen, gehen Sie zu den unteren Registerkarten und wechseln Sie von Recents zu Browse.

Dies öffnet einen eher traditionell aussehenden Datei-Explorer.

Wenn Sie einen neuen Ordner erstellen, eine Verbindung zu einem Server herstellen oder ein Dokument scannen möchten, tippen Sie auf eine beliebige Stelle Ihres Bildschirms und halten Sie sie gedrückt.

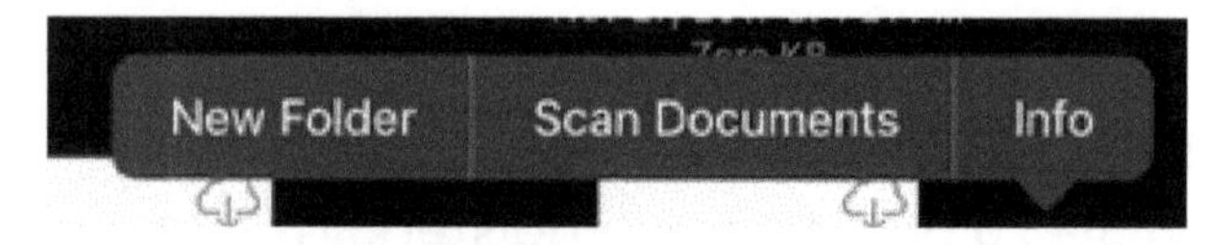

Mit Scan Documents können Sie Ihre Kamera wie einen herkömmlichen Flachbettscanner zum Scannen und Drucken von Dokumenten verwenden.

Sie können auch auf diese Option zugreifen, indem Sie auf Standorte und dann auf die drei kleinen Punkte tippen.

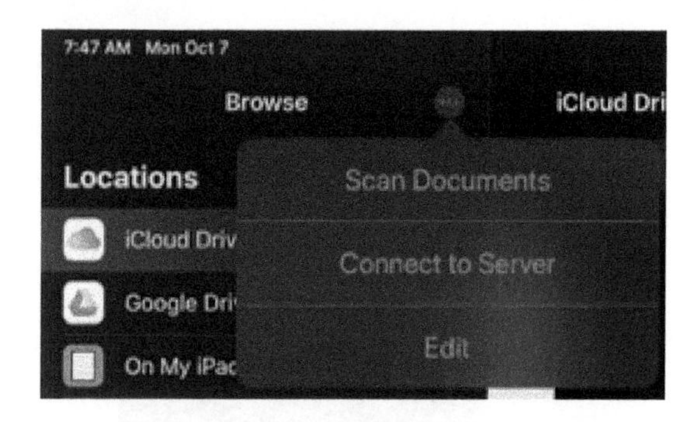

Sie können vom oberen Rand aus nach oben ziehen, um ein verborgenes Sortiermenü zu öffnen (in dem Sie auch einen neuen Ordner erstellen können).

Wenn Sie auf eines der Symbole tippen und es gedrückt halten, wird eine Menüoption angezeigt, mit der Sie eine Datei freigeben, umbenennen und vieles mehr tun können.

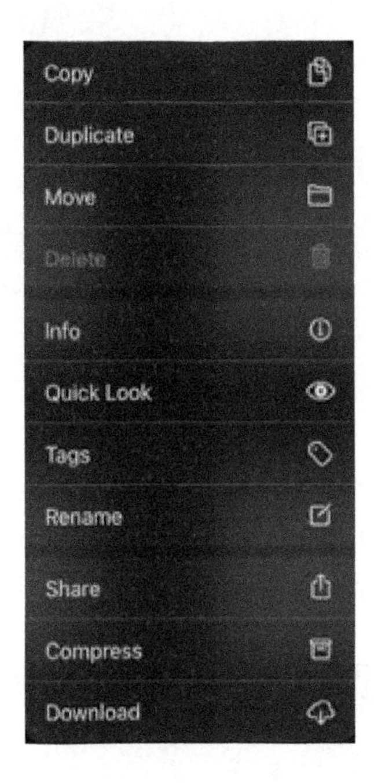

iCloud Einstellungen

Ein weiterer wichtiger Satz von iCloud Einstellungen befinden sich unter Einstellungen > Allgemein > iPad-Speicher.

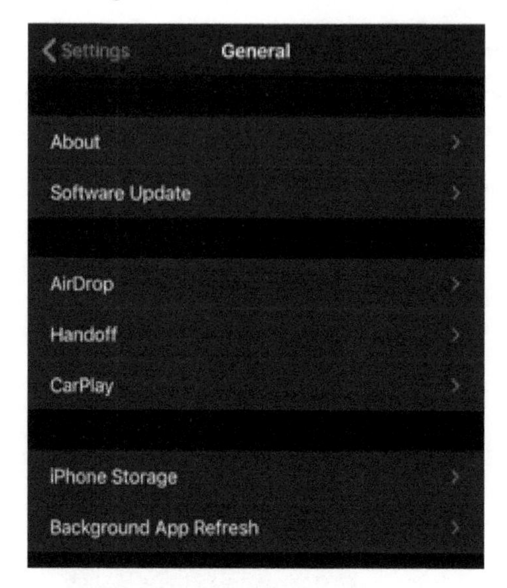

Wenn Sie hierauf tippen, wird Ihnen angezeigt, wie viel Speicherplatz Apps verbrauchen, und es werden Empfehlungen ausgesprochen.

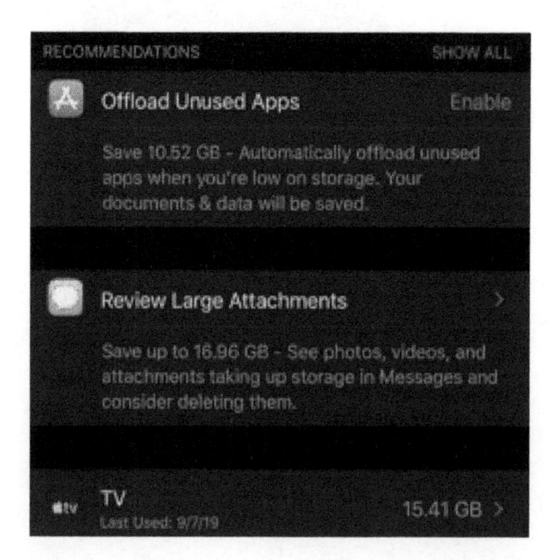

Apple Musik

Apple Musik ist der Musik-Streaming-Dienst von Apple.

Die meisten Menschen fragen sich, was besser ist: Spotify oder Apple Music? Auf dem Papier ist das schwer zu sagen. Beide haben die gleiche Anzahl an Liedern und beide kosten das Gleiche (9,99 $ pro Monat, 5 $ für Studenten, 14,99 $ für Familien).

Es gibt wirklich keinen eindeutigen Sieger. Es kommt ganz auf die Vorlieben an. Spotify hat einige gute Funktionen, wie z. B. einen werbefinanzierten kostenlosen Tarif.

Eine der herausragenden Funktionen von Apple Music ist iTunes Match. Wenn Sie so sind wie ich und eine große Sammlung von Audiodateien auf Ihrem Computer haben, dann werden Sie iTunes Match lieben. Apple legt diese Dateien in der Cloud ab, und Sie können sie auf jedem Ihrer Geräte streamen. Diese Funktion ist auch verfügbar, wenn Sie Apple Music nicht haben, und kostet 25 Dollar pro Jahr.

Apple Musik spielt auch gut mit Apple-Geräten zusammen; wenn Sie also ein Apple-Haus sind (d. h. alles, was Sie besitzen, von intelligenten Lautsprechern bis zu TV Medienboxen), dann ist Apple Music wahrscheinlich die beste Lösung für Sie.

Apple ist mit anderen intelligenten Lautsprechern kompatibel, aber es ist darauf ausgelegt, auf seinen eigenen Geräten zu glänzen.

Ich werde hier nicht auf Spotify eingehen, aber ich rate Ihnen, beide auszuprobieren (beide bieten kostenlose Testversionen an) und herauszufinden, welche Schnittstelle Sie bevorzugen.

Apple Musik Crash-Kurs

Bevor wir uns mit dem Stand der Dinge in Apple Musicist es erwähnenswert, dass Apple Music jetzt über Ihren Webbrowser (in der Beta-Version) hier aufgerufen werden kann: http://beta.music.apple.com.

Es ist auch erwähnenswert, dass ich ein kleines Mädchen habe und nicht viel "erwachsene" Musik höre, daher werden die Beispiele hier eine Menge Kindermusik zeigen!

Die Hauptnavigation von Apple Music befindet sich am unteren Rand. Es gibt fünf grundlegende Menüs, aus denen Sie wählen können:

- Bibliothek
- Für Sie
- durchsuchen
- Radio
- Suche

Ganz rechts befindet sich eine Leiste, die anzeigt, was gerade gespielt wird (falls zutreffend).

Bibliothek

Wenn Sie Wiedergabelisten erstellen oder Lieder oder Alben herunterladen, finden Sie sie hier.

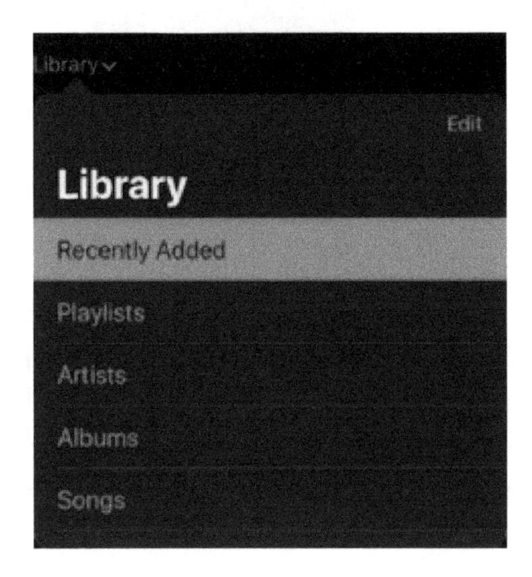

Sie können die Kategorien, die in dieser ersten Liste angezeigt werden, ändern, indem Sie auf Bearbeiten tippen und dann die gewünschten Kategorien abhaken. Klicken Sie auf "Fertig", um Ihre Änderungen zu speichern.

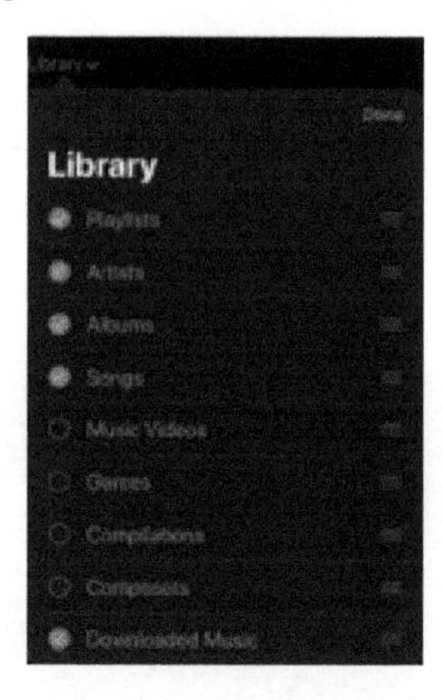

Für Sie

Während Sie Musik abspielen, lernt Apple Music lernt Sie immer besser kennen und gibt Ihnen Empfehlungen auf der Grundlage Ihrer Musik.

In For You können Sie einen Mix aus all diesen Liedern erhalten und weitere Empfehlungen sehen.

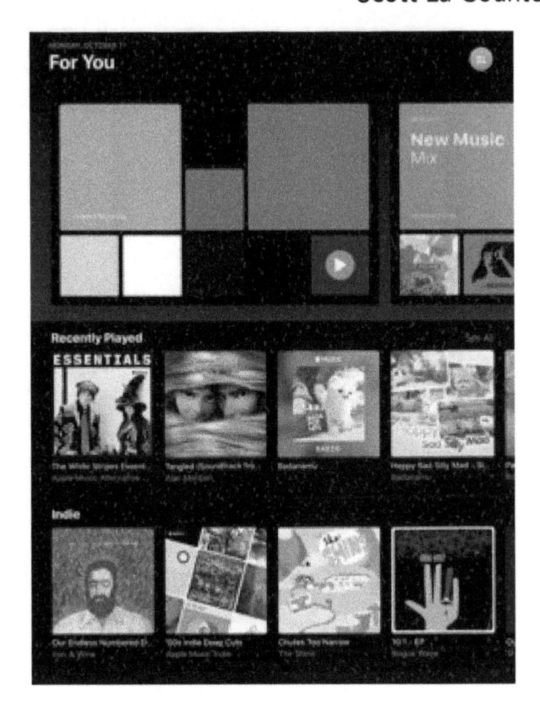

Zusätzlich zu den verschiedenen Musikrichtungen gibt es auch Empfehlungen von Freunden, so dass Sie neue Musik entdecken können, die darauf basiert, was Ihre Freunde gerade hören.

Durchsuchen Sie

Gefallen Ihnen diese Empfehlungen nicht? Im Menü "Durchsuchen" können Sie auch nach Genres suchen. Zusätzlich zu den verschiedenen Genrekategorien können Sie sehen, welche Musik neu ist und welche Musik beliebt ist.

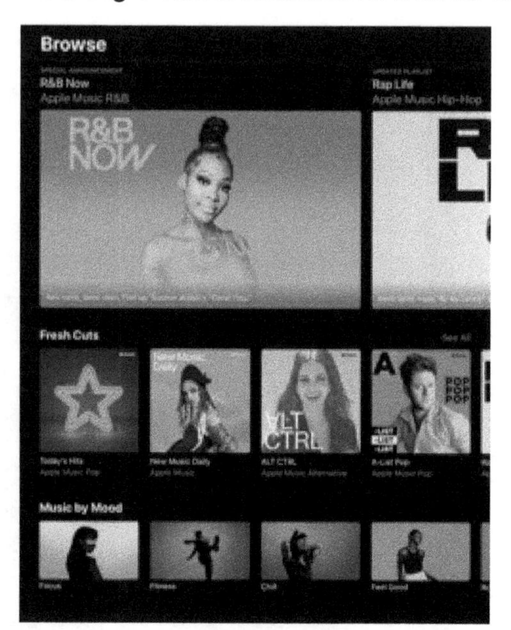

Radio

Radio ist Apples Version von AM/FM; der wichtigste Radiosender ist Beats One. Es gibt On-Air-DJs und alles, was Sie von einem Radiosender erwarten würden.

Beats One ist zwar das Aushängeschild von Apple, aber nicht der einzige Sender. Sie können nach unten scrollen und unter "Mehr" auf "Radiosender" tippen, um verschiedene andere Sender zu entdecken und zu sehen, die auf Musikstilen basieren (z. B. Country, Alternative, Rock, usw.). Unter diesem Menü finden Sie auch eine Handvoll Talk-Sender, die Nachrichten und Sport abdecken. Erwarten Sie nicht das meinungsstarke Talk-Radio, das Sie vielleicht im normalen Radio hören - es ist ziemlich kontroversionsfrei.

Suche

Die letzte Option ist das Suchmenü, das ziemlich selbsterklärend ist. Geben Sie ein, was Sie suchen möchten (z. B. Künstler, Album, Genre usw.).

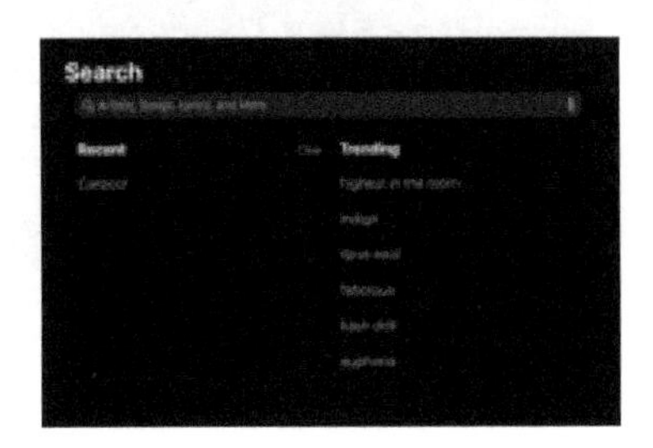

Musik anhören und Erstellen einer Wiedergabeliste

Sie können die Musik, die Sie gerade hören, vom unteren Bildschirmrand aus aufrufen.

Wenn Sie darauf tippen, wird eine größere Ansicht mit mehreren Optionen angezeigt, die Sie gerade hören.

Die Tasten für die Wiedergabe, den Vor- und Rücklauf und die Lautstärke sind ziemlich einfach. Die Tasten darunter sehen vielleicht neu aus.

Die erste Option ist für den Liedtext. Wenn der Song angehalten ist, können Sie den Text lesen; wenn der Song läuft, wird der Text des gerade gespielten Songs fett dargestellt. Wenn Sie sich jemals dabei ertappt haben, dass Sie sich gefragt haben, ob der Sänger "dichten" oder "tanzen" sagt, dann ist diese Funktion ein echter Glücksfall.

Mit der mittleren Option können Sie auswählen, wo Sie die Musik abspielen. Wenn Sie zum Beispiel einen HomePod haben und die Musik von diesem Gerät drahtlos hören möchten, können Sie dies hier ändern.

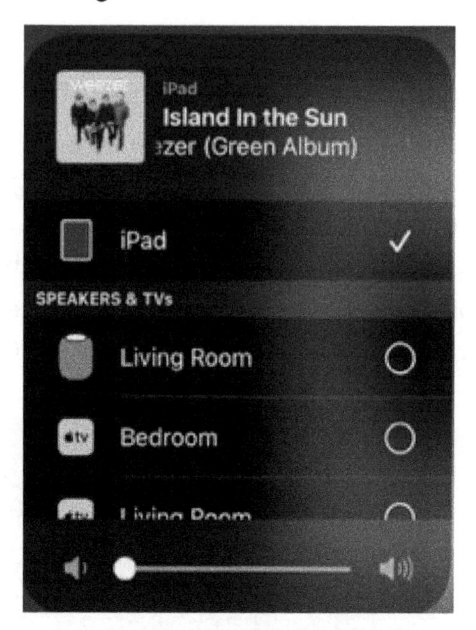

Die letzte Option zeigt den/die nächsten Titel in der Wiedergabeliste an.

Wenn Sie einen Titel zu einer Wiedergabeliste hinzufügen möchten, klicken Sie auf die drei Punkte neben dem Namen des Albums/Künstlers. Daraufhin wird eine Liste mit verschiedenen Optionen angezeigt (Sie können hier auch einen Song lieben oder hassen - was Apple Music hilft herauszufinden, was Sie mögen); die gewünschte Option ist Zu einer Wiedergabeliste hinzufügen. Wenn Sie keine Wiedergabeliste haben oder den Titel zu einer neuen Wiedergabeliste hinzufügen möchten, können Sie hier auch eine erstellen.

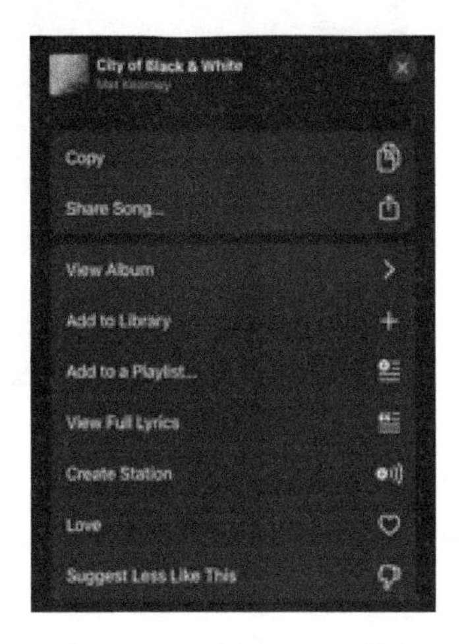

Sie können jederzeit auf den Namen des Künstlers tippen, um seine gesamte Musik zu sehen.

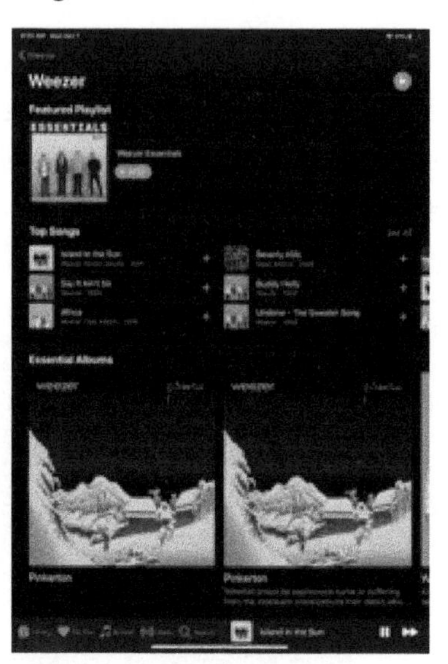

Zusätzlich zu den Informationen über die Band, ihre populären Songs und ihre Alben können Sie eine Wiedergabeliste mit ihren wichtigsten Songs oder eine Wiedergabeliste mit Bands, die sie beeinflusst haben, abrufen.

Wenn Sie nach unten scrollen, können Sie auch ähnliche Künstler sehen, was eine gute Möglichkeit ist, neue Bands zu entdecken, die denen ähneln, die Sie gerade hören.

Tipps für die optimale Nutzung von Apple Music

HERZ ES

Gefällt dir, was du hörst? Herzen Sie es! Hassen Sie es? Mag es nicht. Apple lernt dich durch das kennen, was du hörst, aber es verbessert die Genauigkeit, wenn du ihm sagst, was du von einem Song hältst, den du wirklich magst... oder wirklich hasst.

EINSTELLUNGEN VERWENDEN

Einige der einfallsreichsten Funktionen von Apple Music sind nicht in Apple Music enthalten - sie befinden sich in Ihren Einstellungen.

Öffnen Sie die App "Einstellungen" und scrollen Sie nach unten zu "Musik.

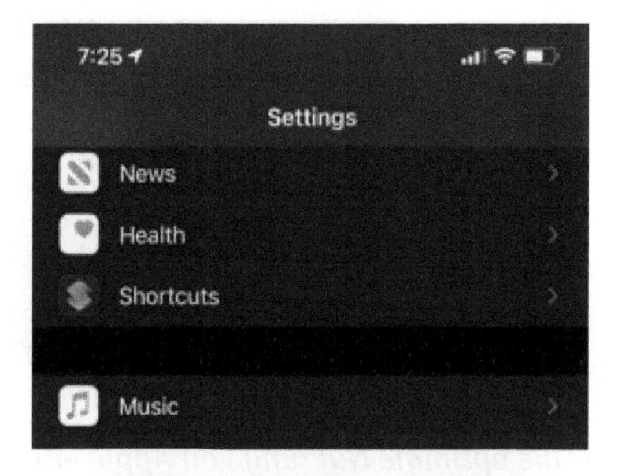

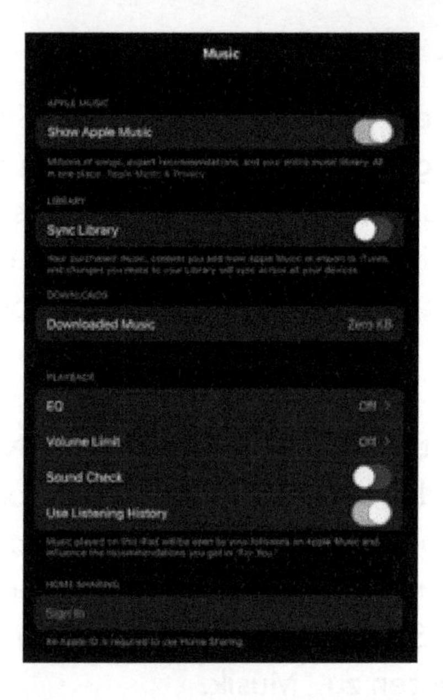

Wenn Sie die Art und Weise, wie Ihre Musik klingt, ändern möchten, z. B. mehr oder weniger Bass, gehen Sie in den Einstellungen zu EQ.

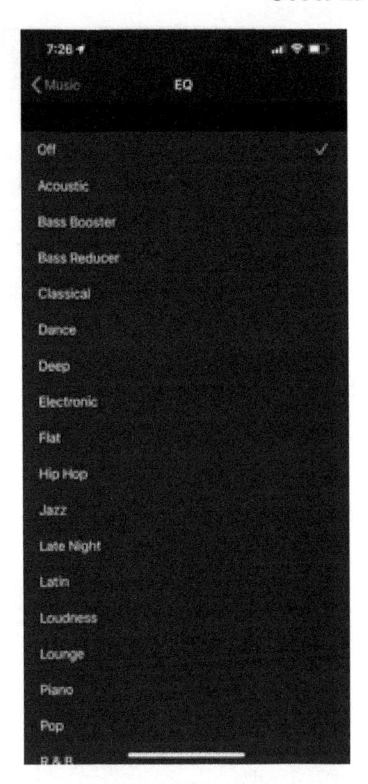

MUSIK HERUNTERLADEN

Wenn Sie unterwegs nicht auf Daten zugreifen möchten, tippen Sie auf die Cloud, um die Musik lokal auf Ihr Telefon herunterzuladen. Wenn Sie keine Wolke sehen, fügen Sie sie zu Ihrer Bibliothek hinzu, indem Sie auf das Plus tippen, wodurch sie zu einer Wolke wird.

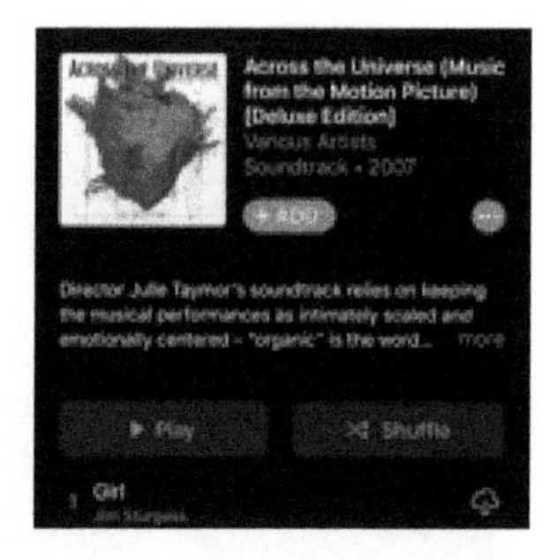

HALLO SIRI

Siri kennt Musik! Sagen Sie "Hey Siri", und sagen Sie, was Sie hören möchten, und die KI macht sich an die Arbeit.

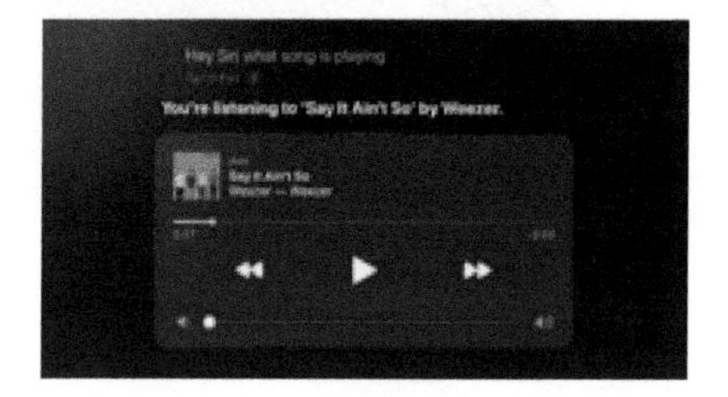

APPLE NACHRICHTEN

Im Jahr 2012 brachte eine kleine App mit großen Ambitionen namens Next (später wurde sie in Texture umbenannt) die Zeitschriftenbranche durcheinander, indem sie das Netflix der Zeitschriften schuf. Für einen geringen Preis konnte man Hunderte von Magazinen (und auch deren ältere Ausgaben) lesen. Dabei handelte es sich nicht um kleine Indie-Magazine, sondern um die großen: People, Time, Wired und viele mehr.

Apple wurde darauf aufmerksam und übernahm 2018 das Unternehmen. Die Zeichen standen auf Sturm: Apple wollte in Druckdienste einsteigen.

Im Jahr 2019 wurde angekündigt, dass Texture geschlossen wird, weil Apple einen neuen Dienst namens News+. News+ bietet die gleichen Funktionen wie Texture, kombiniert aber auch Zeitungen (Los Angeles Times und The Wall Street Journal).

Es gibt eine kostenlose Version des Dienstes, die Nachrichten für Sie kuratiert; die kostenpflichtige Version mit Zeitschriftenabonnements kostet 9,99 $. (Sie können fünf Familienmitglieder in Ihrem Plan haben).

Die Besonderheit von Apple News zeichnet sich dadurch aus, dass es für Sie und Ihre Vorlieben zusammengestellt wird. Wenn Sie andere Familienmitglieder in Ihrem Plan haben, werden die Nachrichten auch für sie kuratiert. Sie basieren auf dem Geschmack des Nutzers, d. h. wenn Sie ein Familienmitglied haben, das sich für Unterhaltungsnachrichten interessiert, während Sie sich für Spielenachrichten interessieren, werden Sie deren Interessen nicht sehen - nur Ihre.

Apple Nachrichten Crash-Kurs

Um loszulegen, öffnen Sie die News App auf Ihrem iPad (falls sie nicht auf Ihrem iPad installiert ist, können Sie sie kostenlos aus dem App Store).

Die Benutzeroberfläche der App ist ziemlich einfach. Es gibt mehrere Menüoptionen, die Sie durch Streichen von links nach rechts erreichen können; die beiden, die Sie am häufigsten verwenden werden:

Heute - Hier finden Sie Ihre kuratierten Nachrichten

Nachrichten+-Wo Sie Zeitschriften finden

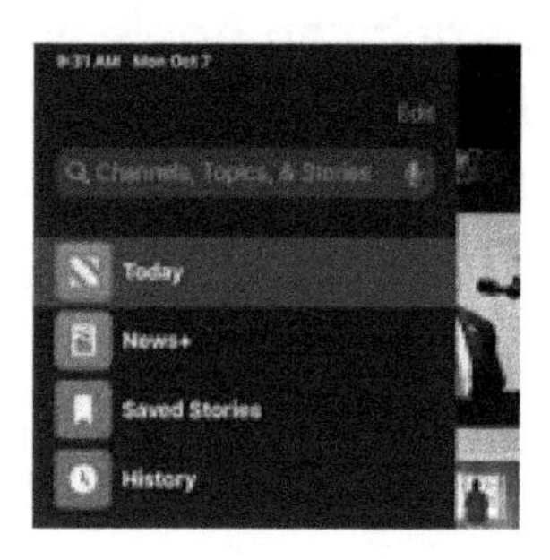

Heute

Das Menü "Heute" zeigt Ihnen alle Nachrichten (beginnend mit den Top-Nachrichten/aktuellen Nachrichten) in einem Bildlaufformat an.

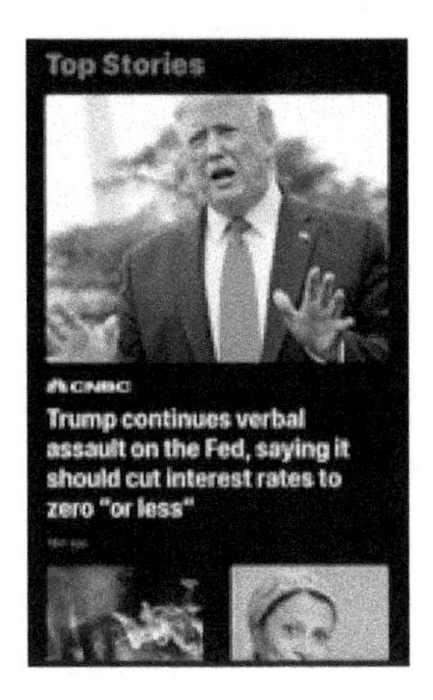

Die App setzt viel auf Gesten. Tippen Sie auf eine Geschichte und halten Sie den Finger darauf, um verschiedene Optionen zu erhalten.

Die Option, die Sie wahrscheinlich am häufigsten verwenden werden, ist der Vorschlag "mehr/ weniger"; diese beiden Optionen helfen Apple News diese beiden Optionen helfen Apple News zu verstehen, was Sie mögen, und werden im Laufe der Zeit beginnen, Nachrichten auf der Grundlage Ihrer Vorlieben zu personalisieren.

Normalerweise bedeutet "melden" in einer Nachrichten-App, dass Sie es irgendwie unpassend finden. Das ist hier der Fall, aber es gibt auch andere Gründe, es zu melden, z. B. ein falsches Datum, eine falsche Kategorie, ein kaputter Link oder etwas anderes.

Wenn du nach unten scrollst, siehst du verschiedene Kategorien (im Beispiel unten: "Trending Stories"). Wenn du auf die drei Punkte mit dem Kreis tippst, erhältst du die Option, sie zu blockieren, sodass sie nicht mehr in deinem Feed angezeigt werden.

Wenn Sie auf tippen, um eine Meldung zu lesen, gibt es nur wenige Optionen. Oben gibt es die Option, den Text größer oder kleiner zu machen; daneben gibt es die Option, die Geschichte mit Freunden zu teilen (vorausgesetzt, sie haben Apple News). Um zur nächsten Meldung zu gelangen, gibt es eine Option in der unteren rechten Ecke (oder wischen Sie von der rechten Ecke des Bildschirms nach links); um zur vorherigen Seite zurückzukehren, tippen Sie auf den Zurück-Pfeil in der oberen linken Ecke oder wischen Sie von der linken Seite des Bildschirms nach rechts.

Actress Loretta Young's onetime desert haunt is for sale at $1.475 million

The Midcentury Modern house in Palm Springs has an unusual circular design.

A Palm Springs home that was once owned by Academy Award-winning actress Loretta Young has come on the market at $1.475 million.

Mountains create a backdrop for the striking 1964 Midcentury Modern, which is entered through a breezeway flanked by rock gardens, fountains and palms. Walls of glass bring in views of the garden from the circular living room. A round tray ceiling with a stylized medallion accentuates the shape.

Ein Kritikpunkt an Apple News Als Apple den Dienst zusammen mit seiner Partnerschaft mit der Los Angeles Times und dem Wall Street Journal ankündigte, erwarteten viele ein ähnliches Format wie bei den Magazinen - ein vollständiges zeitungsähnliches Layout.

Schlimmer noch, viele wussten nicht einmal, wie sie die Zeitung finden konnten. Und wenn sie sie gefunden haben, konnten sie nicht nach Geschichten suchen. Die App ist zwar ziemlich einfallsreich, aber es handelt sich noch um ein frühes Produkt, und einige der gewünschten Funktionen sind vielleicht noch nicht vorhanden.

Allerdings können Sie die Los Angeles Times (oder jede andere Zeitung in Apple News) auf eine traditionellere Weise lesen. Suchen Sie zunächst in Ihrem Feed einen Artikel der Publikation, von der Sie mehr sehen möchten, und klicken Sie dann auf den Namen der Publikation am oberen Rand des Artikels.

Los Angeles Times

Dadurch wird die Veröffentlichung zusammen mit allen Themen dieser Veröffentlichung angezeigt.

Wenn Sie nach einem bestimmten Artikel oder einer bestimmten Publikation suchen möchten, wischen Sie von der linken Seite des Bildschirms nach rechts und suchen Sie nach dem, was Sie finden möchten.

Unter

Sie können jederzeit vom linken Rand des Bildschirms nach rechts wischen und die Kanäle/Themen sehen, denen Sie folgen.

Hier können Sie Ihren Verlauf einsehen, gespeicherte Beiträge lesen (wie oben erwähnt), nach Beiträgen und Veröffentlichungen suchen und Themen folgen oder das Folgen aufheben.

Um einer Kategorie nicht mehr zu folgen, wischen Sie nach links über die Kategorie und wählen Sie "Nicht folgen".

Um eine neue Kategorie hinzuzufügen, scrollen Sie ein wenig nach unten. Sie sehen dann vorgeschlagene Themen. Tippen Sie auf die Schaltfläche "+" für jedes Thema, dem Sie folgen möchten.

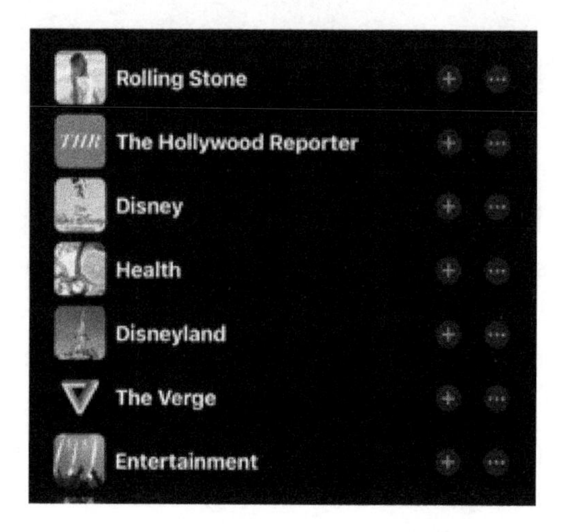

Sie können Ihre Kategorien verschieben, indem Sie auf die Schaltfläche Bearbeiten oben rechts tippen.

Nachrichten+

Der letzte Bereich ist News+; hier finden Sie alle Zeitschriften, die Sie lieben.

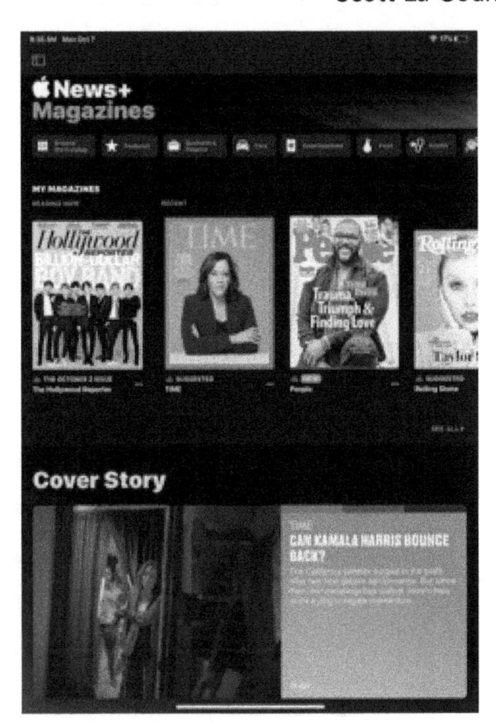

Das Format ähnelt dem des Heute-Bildschirms: Die von Ihnen gelesenen Zeitschriften stehen oben, darunter finden Sie Artikel aus verschiedenen Zeitschriften, von denen die App glaubt, dass sie Sie interessieren könnten. Es gibt auch einen stärker personalisierten Bereich "Für Sie".

Wenn Sie Artikel aus der Liste lesen, werden sie im eigentlichen Magazin geöffnet und sehen etwas anders aus als die Artikel im Bereich Heute.

Wenn Sie mehr aus einer Zeitschrift lesen möchten (oder frühere Ausgaben ansehen möchten), klicken Sie einfach auf das Logo des Artikels, den Sie gerade lesen.

Dort finden Sie eine Liste aller Ausgaben, die Sie lesen können, sowie einige der neuesten Geschichten aus dem Magazin.

Wenn Sie auf die Schaltfläche "+" in der oberen rechten Ecke tippen, können Sie die Veröffentlichung verfolgen.

Wenn Sie im Bereich Meine Zeitschriften lange auf das Titelblatt einer Zeitschrift drücken (gedrückt halten), können Sie auch das Verfolgen der Zeitschrift aufheben, sie löschen oder frühere Ausgaben der Zeitschrift anzeigen.

Um alle verfügbaren Zeitschriften zu durchsuchen, wählen Sie auf dem Hauptbildschirm die Option Im Katalog blättern (oder suchen Sie nach einer Kategorie, die Sie interessiert).

Daraufhin wird eine Liste aller Zeitschriften angezeigt, die Sie lesen können (zur Zeit sind es etwa 300).

Durch langes Drücken auf ein beliebiges Symbol können Sie die Zeitschrift herunterladen, verfolgen, blockieren oder in der Bibliothek für ältere Ausgaben stöbern.

FITNESS+

Eine der größten Verbesserungen für Apple-Geräte ist Fitness+. Ties wird ein neuer Apple Service sein, der die Fitnessbranche auf den Kopf stellen wird.

Apple hat im September einen Überblick über den Dienst gegeben, ihn aber zum Zeitpunkt der Veröffentlichung dieses Buches noch nicht veröffentlicht.

Es wird 9,99 $ pro Monat oder 79,99 $ pro Jahr kosten (mit drei kostenlosen Monaten, wenn Sie eine neue Apple Watch kaufen); Fitness+ wird auch in den neuen Apple One Premier Service (29,99 $/ Monat) integriert, der Ihnen und Ihrer ganzen Familie Zugang zu allen Apple Services bietet.

Die Dienste funktionieren so, dass Sie die Art des Trainings auswählen, die Sie entweder mit Ihrem Apple TV, iPad oder iPhone durchführen möchten; dies wird sofort mit Ihrer Uhr synchronisiert. Während das Video-Workout abgespielt wird, sehen Sie also Dinge wie Ihre Herzfrequenz auf dem Video.

Die Workouts ändern sich jede Woche und können mit oder ohne Trainingsgeräte durchgeführt werden. Es gibt Workouts für Anfänger und Fortgeschrittene, und die KI von Apple empfiehlt je nach Trainingsplan verschiedene Workouts und Trainer.

Sie können die Workouts sogar nach Zeit filtern (von 5 Minuten bis 45 Minuten). Wenn Sie also nur ein paar Minuten Zeit haben, können Sie ein Workout finden, das in Ihren Zeitplan passt.

Wenn Sie Peloton verwendet haben (oder mit Peloton vertraut sind), dann ist das Konzept sehr ähnlich. Der größte Unterschied besteht darin, dass es mit mehreren Geräten (oder gar keinem Gerät) funktionieren kann; das macht es ideal für unterwegs.

Sie können auch die Art der Musik auswählen, die während des Trainings abgespielt wird.

[10]
PFLEGEN UND SCHÜTZEN

SICHERHEIT

Passcode (Tipps und Tricks, usw.)

In der heutigen Zeit ist es wichtig, Ihr Gerät sicher zu halten. Sie können Touch ID einrichten oder auch nicht (falls Ihr Modell damit ausgestattet ist), aber zumindest ist es eine gute Idee, einen Passcode zu verwenden. Jedes Mal, wenn Ihr Tablet entsperrt, neu gestartet, aktualisiert oder gelöscht wird, muss ein Kennwort eingegeben werden, bevor der Zugriff auf das Tablet möglich ist. Um einen Passcode für Ihr iPad einzurichten, gehen Sie zu "Einstellungen" > "Passcode" und klicken Sie auf "Passcode einschalten". Sie werden aufgefordert, einen 4- oder 6-stelligen Passcode einzugeben und diesen dann zur Bestätigung zu wiederholen. Hier sind einige Tipps, die du für maximale Sicherheit beachten solltest:

Do's

Erstellen Sie einen eindeutigen Passcode, den nur Sie kennen.

Wechseln Sie es ab und zu, damit es unbekannt bleibt.

Wählen Sie einen Passcode, der später leicht geändert werden kann, wenn es an der Zeit ist, Passcodes zu ändern.

Was man nicht tun sollte

Verwenden Sie KEINEN einfachen Passcode wie 1234 oder 5678

Verwenden Sie NICHT Ihren Geburtstag oder Ihr Geburtsjahr

Verwenden Sie KEINEN Passcode, den jemand anderes haben könnte (z. B. eine gemeinsame PIN für eine Debitkarte).

NICHT in der Mitte (2580) oder an den Seiten (1470 oder 3690) gehen

Verschlüsselung

Bei all den persönlichen und sensiblen Informationen, die in iCloud gespeichert werden könnengespeichert werden können, ist die Sicherheit verständlicherweise ein sehr wichtiges Anliegen. Apple stimmt dem zu und schützt Ihre Daten mit einer hochgradigen 128-Bit-AES-Verschlüsselung. Schlüsselbunddie Sie als Nächstes kennenlernen werden, verwendet eine 256-Bit-AES-Verschlüsselung - dieselbe Verschlüsselungsstufe, die von allen großen Banken verwendet wird, die ein hohes Maß an Sicherheit für ihre Daten benötigen. Laut Apple sind die einzigen Dinge, die nicht durch iCloud verschlüsselt werden, Mail (weil E-Mail-Clients bereits ihre eigene Sicherheit bieten) und iTunes in the Cloud, da Musik keine persönlichen Daten enthält.

Schlüsselanhänger

Haben Sie sich seit Ewigkeiten zum ersten Mal bei einer Website angemeldet und vergessen, welches Passwort Sie verwendet haben? Das kann jedem passieren. Einige Websites verlangen Sonderzeichen oder Phrasen, während andere kleine 8-Zeichen-Passwörter verlangen. iCloud verfügt über eine hochgradig verschlüsselte Funktion namens Keychain die es Ihnen ermöglicht, Passwörter und Anmeldeinformationen an einem Ort zu speichern. Jedes Ihrer Apple-Geräte, das mit demselben iCloud-Konto synchronisiert ist, kann die Daten ohne zusätzliche Schritte aus dem Schlüsselbund laden.

Um Keychain zu aktivieren und zu verwendenzu aktivieren, klicken Sie einfach auf Einstellungen >

iCloud und schalten Sie Keychain ein und folgen Sie dann den Anweisungen. Nachdem Sie Accounts und Kennwörter zum Schlüsselbund hinzugefügt haben, füllt Ihr Safari Browser die Felder automatisch aus, während Sie bei iCloud angemeldet bleiben. Wenn Sie z. B. nach einem Online-Einkauf zur Kasse gehen möchten, werden die Kreditkarteninformationen automatisch vorausgefüllt, sodass Sie keine sensiblen Daten eingeben müssen.

iCloud

Um die volle Wirkung von Apples sorgfältig entwickeltem Ökosystem zu nutzen und ein Teil davon zu sein, müssen Sie ein iCloud Konto erstellen. Einfach ausgedrückt, ist iCloud ein leistungsstarkes Cloud-System, das alle Ihre wichtigen Geräte nahtlos koordiniert. Die Cloud ist nicht ganz einfach zu verstehen, aber am besten kann man sie sich wie eine Speichereinheit vorstellen, die in einem sicheren Teil des Internets untergebracht ist. Ihnen wird eine bestimmte Menge an Speicherplatz zugewiesen, und Sie können die Dinge, die Ihnen am wichtigsten sind, hier sicher aufbewahren. Im Fall von iCloud stellt Apple Ihnen 5 GB kostenlos zur Verfügung.

Ihr Tablet ermöglicht es Ihnen, bestimmte Dateien wie Fotos, E-Mails, Kontakte, Kalender, Erinnerungen und Notizen automatisch zu sichern. Sollte Ihr Tablet irreparabel beschädigt werden, verloren gehen oder gestohlen werden, sind Ihre

Daten immer noch sicher in iCloud gespeichert.. Um Ihre Daten abzurufen, können Sie sich entweder auf einem Mac oder PC bei iCloud.com anmelden oder sich auf einem anderen iPad bei Ihrem iCloud Account anmelden, um die Daten auf dieses Tablet zu laden.

Mit der Einführung von iOS 8 und dem iPhone 6 und 6 Plus hat Apple ein paar wichtige Änderungen eingeführt. Sie können jetzt noch mehr Arten von Dokumenten mit iCloud Drive speichern und von jedem Smartphone, Tablet oder Computer aus darauf zugreifen. Außerdem können nun bis zu sechs Familienmitglieder Einkäufe aus iTunes, und dem App StoreDamit entfällt die Notwendigkeit, eine App zweimal zu kaufen, nur weil Sie und ein geliebter Mensch zwei verschiedene iCloud-Konten haben.

Für Nutzer, die mehr als 5 GB benötigen, hat Apple die Kosten für iCloud drastisch gesenkt:

50 GB kosten $0,99 pro Monat

200 GB kosten $2,99 pro Monat

1 TB (1000 GB) kostet $9,99 pro Monat

2 TB (2000 GB) kostet $19,99 pro Monat

Anhang A: Zubehör

Apple Pencil (zweite Generation)

Der wichtigste Begleiter des iPad - vielleicht der Grund, warum Sie das Gerät gekauft haben - ist der Apple Pencil.. Der Pencil sieht aus wie ein normaler Eingabestift, aber er ist viel ausgeklügelter als das. In seinem Inneren befindet sich ein winziger Prozessor, der bei der Verwendung über 240 Mal pro Sekunde nach einem Signal sucht.

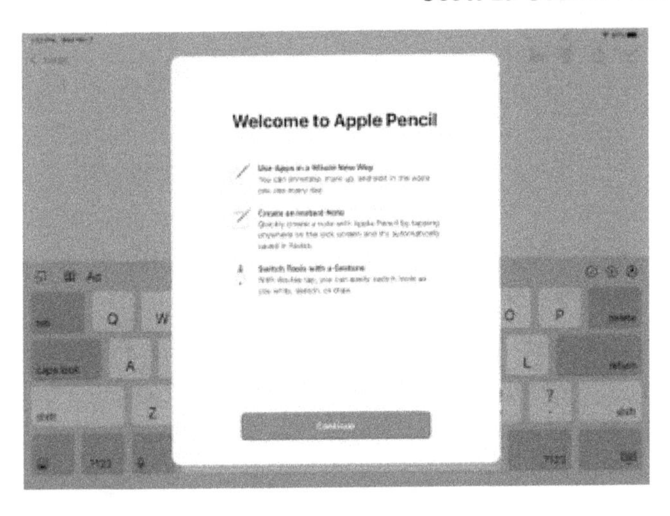

Im Gegensatz zu anderen Stiften hat der Apple Pencil über eine eingebaute Batterie. Um ihn aufzuladen, schließen Sie ihn einfach an die magnetische Seite des iPads an. Laut Apple kann man den Pencil 30 Minuten lang nutzen, indem man ihn nur 15 Sekunden lang auflädt. Mach dir aber keine Sorgen, dass du ihn ständig aufladen musst - mit einer vollen Ladung hält er etwa 12 Stunden.

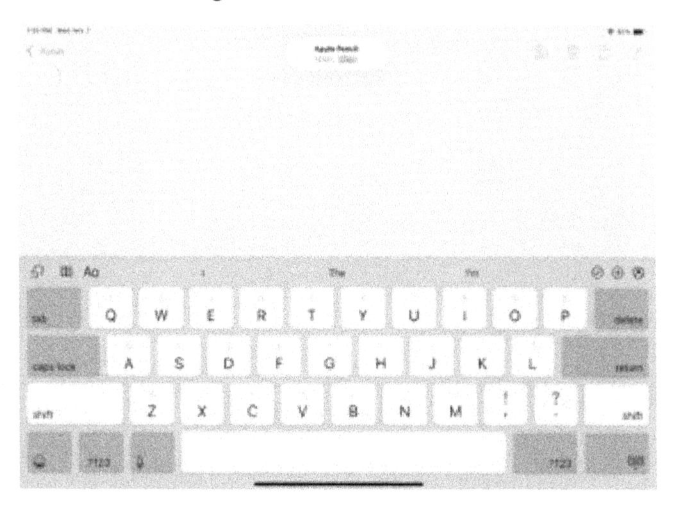

Die Verwendung des Apple Pencil ist ebenfalls ganz einfach. Sobald du den Pencil auf deinem Bildschirm berührst, erkennt das iPad, dass es sich um einen Pencil und nicht um einen Finger handelt. Wenn Sie den Pencil fester auf das iPad drücken, wird die Linie oder das Objekt, das Sie zeichnen, dunkler, wenn Sie ihn weicher drücken, wird es heller. Wenn Sie Schattierungen hinzufügen möchten, neigen Sie den Pencil. Die Sensoren im Pencil berechnen die Ausrichtung und den Winkel Ihrer Hand.

Scribble für Apple Pencil

Apple Pencil erhielt in iPadOS 16 ein großes Upgrade mit einer neuen "Scribble"-Funktion, mit der du den Stift in Suchfeldern verwenden kannst - so kannst du z. B. in einer Google-Suche Text kritzeln, anstatt ihn einzutippen.

Sie können Scribble jederzeit verwenden, wenn Sie einen Text haben.

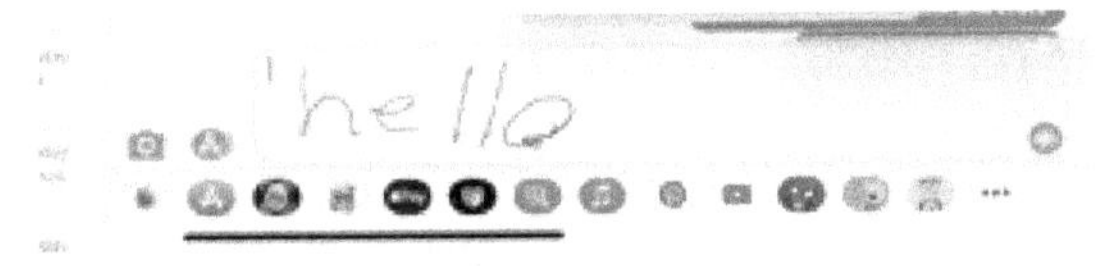

Wenn Sie sich vertippen oder etwas löschen wollen, setzen Sie einfach einen Schnörkel hindurch.

Wenn Sie ein Wort oder einen Satz hervorheben möchten, kreisen Sie es ein.

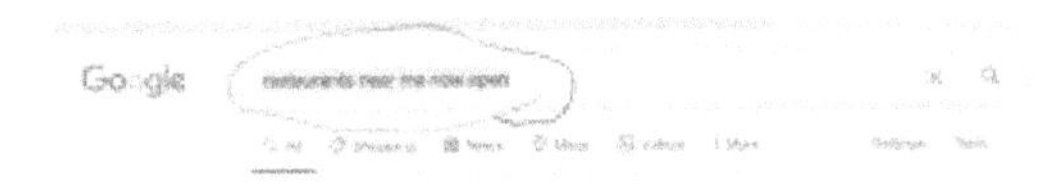

Sie können auch zwei Wörter durch einen Bindestrich verbinden.

Apple Pencil verwenden Mit der Notizen App

Wenn Sie den Apple Pencil mit der Notizen App verwenden, funktioniert Scribble anders. Technisch gesehen kritzeln Sie immer noch Text, aber Sie sehen nicht die sofortige Umwandlung.

In NotizenApple Pencil behandelt die App wie ein Tagebuch und lässt Ihre Handschrift intakt.

Das heißt nicht, dass Sie Ihr Gekritzel in Text umwandeln können - der Prozess ist nur ein wenig anders. Nachdem Sie den Text geschrieben haben, tippen Sie ihn an und markieren ihn mit dem Finger, wie Sie es mit normalem Text tun würden. Wenn Sie gefragt werden, was Sie tun sollen, wählen Sie "Als Text kopieren" und gehen dann zu der Stelle, an der Sie den Text einfügen möchten.

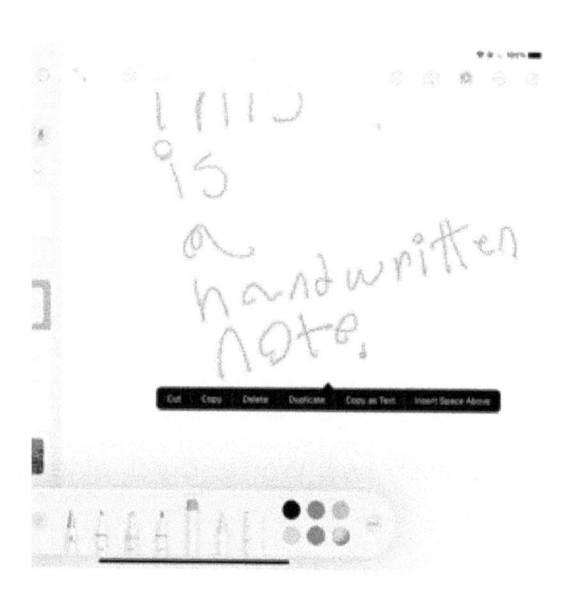

Der Apple Pencil ist ziemlich ausgeklügelt, aber wenn Ihre Handschrift so schlecht ist wie meine, ist die Lernkurve etwas lang.

Apple Pencil ist nicht nur für Text geeignet. Er kann auch Formen erkennen und umwandeln. Um ihn zu verwenden, zeichnen Sie eine Form (z. B. einen Kreis, ein Quadrat usw.) wie gewohnt. Wenn Sie am Ende angelangt sind, halten Sie inne, aber heben Sie den Stift nicht an - halten Sie einfach inne. Innerhalb von Sekunden zeigt das Programm eine Vorschau an, wie die Form Ihrer Meinung nach aussehen sollte; wenn Sie zufrieden sind, heben Sie den Stift an.

Apple Pencil Einstellungen

Apple Pencil Einstellungen sind begrenzt. Sie können auf sie zugreifen, indem Sie die App "Einstellungen" aufrufen und Apple Pencil auswählen.

Hier gibt es zwei Einstellungen, auf die Sie achten sollten. Die erste ist "Doppeltippen"; wenn Sie doppelt auf Ihren Apple Pencil tippen etwas tut - was, das bestimmen Sie hier.

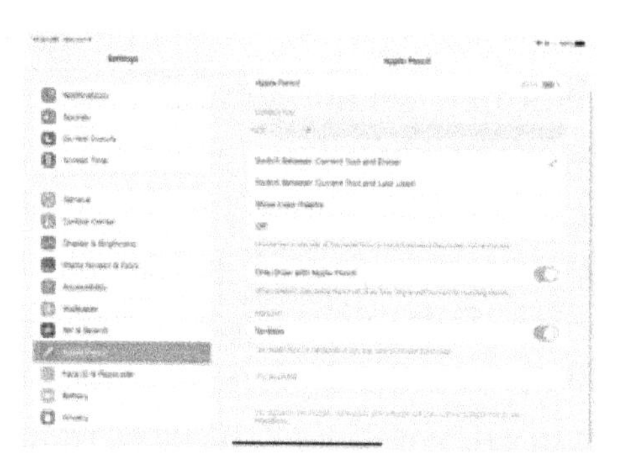

Die zweite Sache, die Sie beachten sollten, ist Scribble; wenn Sie die Funktion absolut hassen oder sie nur für eine kurze Zeit ausschalten wollen, dann tippen Sie auf den Kippschalter.

Intelligente Tastatur für iPad

Die Tastatur hat die volle Größe, d. h. sie hat die gleiche Größe und die gleichen Abstände, die Sie von größeren Tablets gewohnt sind. Die volle Größe bedeutet, dass es Platz für Tastenkombinationen gibt. Wenn Sie z. B. in Pages die CMD-Taste neben der Leertaste gedrückt halten, wird das folgende Menü angezeigt:

Bold	⌘ B
Italic	⌘ I
Underline	⌘ U
Copy Style	⌘ option C
Add Comment	⌘ shift K
Find	⌘ F
Hide Word Count	⌘ shift W
Hide Ruler	⌘ R
Create Document	⌘ N

Wenn die Tastatur nicht stabil genug ist, können Sie sich auch die Logitech Create-Tastatur ansehen. Sie ist etwa 10 Dollar billiger als die Apple Key-Board, funktioniert aber auf die gleiche Weise. Die Logitech-Tastatur hat eine Hintergrundbeleuchtung (damit du die Tasten auch im Dunkeln sehen kannst) und wird über das iPad aufgeladen, sodass du keine Batterien brauchst. Allerdings hat sie ihren Preis: Sie ist etwa ein Pfund schwer.

INDEX

Über den Autor

Scott La Counte ist Bibliothekar und Schriftsteller. Sein erstes Buch, *Quiet, Please: Dispatches from a Public Librarian* (Da Capo 2008) war die Wahl des Herausgebers der Chicago Tribune und ein Entdeckungstitel der Los Angeles Times; 2011 veröffentlichte er das Jugendbuch The N00b Warriors, das ein Amazon-Bestseller wurde; sein jüngstes Buch ist *#OrganicJesus: Finding Your Way to an Unprocessed, GMO-Free Christianity* (Kregel 2016).

Er hat Dutzende von Bestsellern mit Anleitungen zu technischen Produkten geschrieben.

Sie können ihn unter ScottDouglas.org erreichen.

Milton Keynes UK
Ingram Content Group UK Ltd.
UKHW020234301123
433483UK00016B/898